1인 기업,
1천만 원으로
충분하다

1인 기업,
1천만 원으로 충분하다

월수입 5배로 끌어올리는 브랜드 창업 프로젝트

초 판 1쇄 2024년 07월 11일

지은이 김태우
펴낸이 류종렬

펴낸곳 미다스북스
본부장 임종익
편집장 이다경, 김가영
디자인 임인영, 윤가희
책임진행 안채원, 이예나, 김요섭

등록 2001년 3월 21일 제2001-000040호
주소 서울시 마포구 양화로 133 서교타워 711호
전화 02) 322-7802~3
팩스 02) 6007-1845
블로그 http://blog.naver.com/midasbooks
전자주소 midasbooks@hanmail.net
페이스북 https://www.facebook.com/midasbooks425
인스타그램 https://www.instagram.com/midasbooks

© 김태우, 미다스북스 2024, *Printed in Korea*.

ISBN 979-11-6910-722-8 03320

값 18,500원

미다스북스는 다음세대에게 필요한 지혜와 교양을 생각합니다.

1인 기업, 1천만 원으로 충분하다

월수입 5배로 끌어올리는 브랜드 창업 프로젝트

김태우 지음

미다스북스

서평 007

서문 008

창업의

시작

STEP

1

내 주변을
관찰하라

1. 왜 창업하는지 생각하라 015

2. 무엇에 흥미를 느끼는가? 018

3. 창업자의 마인드를 가져라 023

4. 창업 아이디어를 발굴하라 026

5. 사업의 필수 요소를 체크하라 034

창업의

방향

STEP

2

전략적으로
생각하라

1. 모토를 설정하라 051

2. 브랜딩이란 무엇인가? 056

3. 혁신은 무엇으로 시작되는가? 059

4. 리더십이란 무엇인가? 065

5. 협상은 어떻게 하는가? 078

브랜드 만들기

STEP 3

타겟층을 공략하라

1. 마케팅 계획과 전략을 수립하라	093
2. 시장 세분화와 제품 포지셔닝 전략을 고민하라	109
3. 표적 시장이란 무엇인가?	121
4. 법적 요건과 기업 등록 절차를 확인하라	126
5. 지적재산권 보호와 특허 등록을 준비하라	129

자기 관리 루틴

STEP 4

관리의 힘은 크다

1. 스트레스 관리하기	135
2. 자기 계발 하기	152
3. 실행력 키우기	165
4. 인적 인프라 넓히기	185
5. 성장과 발전 도모하기	196

정부

기관

STEP

5

최대한 활용하자

1. 대한무역투자진흥공사 KOTRA   219

2. 중소벤처기업진흥공단 Gobiz Korea   234

3. 중소벤처기업부 중소기업 유통 센터 판판대로   238

4. 서울경제진흥원 SBA   242

5. 한국무역협회 KITA   247

6. aT 수출 종합 지원 시스템   256

7. 해외 인증 정보 시스템   258

8. 중소기업부 각종 지원 사업   259

9. HS Code 검색 시스템   262

맺음말   264

서평

저자소개

김태우 現파스칼 인터네셔널 대표

2011 네덜란드 로테르담 (선박 부품 무역 회사) 베트남 다낭, 붕타우, 컨터 (수산물 수
~
2014 출 회사) 미얀마 양곤 (건설 회사) 대한민국 서울 (방산 물품 수출 회사)

2015 파스칼인터네셔널 창업

2020 산업통상자원부장관표창, 대한무역투자공사 코트라 무역의날 유공 표창, 중소
기업유통센터 전문셀러지정

2022 수출두드림기업지정
재일본한국화장품협회 특별상

책의 목적과
독자에 대한 안내 ─

본 도서는 장기간 혹은 직업적, 학문적으로 특정 분야에 전문가적 접근이 가능한 사람, 그리고 특정한 사업 필드에 오래 몸담아 순조롭게 창업을 하여 안전한 사업체를 운영할 수 있는 사람을 위한 책은 아닙니다.

그와 반대로 사업의 주된 목적과 아이템이 정해지지 않은, 무엇을 해야 할지 모르는 사람들, 그리고 새로운 창업 아이템을 찾고 있는 사람들이 읽으면 도움이 될 이야기입니다.

그들을 위한 이야기를 시작하겠습니다. 용기를 가지고 도전하는 자세로 세상을 향해 한 발 딛고 나아가길 원하신다면 이 책을 읽고 도움을 받을 수 있을 것입니다.

전 2015년에 처음으로 사업을 시작하였습니다. 뒤돌아보면 8년이라는 시간은 개인적 성장과 실패 그리고 기업의 성장과 실패가 반복된 웃고 우는 날들의 연속이었습니다. 처음 사업을 하겠다고 마음먹고 회사의 울타리를 벗어났을 때 무엇을 해야 할지 고민이 되었습니다.

사실 회사의 울타리를 나오기 전에 어떤 분야, 어떤 종목을 창업할지 정해놓고 퇴사하는 것이 가장 좋습니다. 다만 저의 경우에는 마지막 회사의 경영난으로 인해 권고사직을 당하게 되어 창업을 준비할 충분한 시간적 여력이 없었습니다.

다행히도 그 당시 소규모 맥주 가게를 부업으로 운영하던 것이 있었습니다. 회사에서 권고사직을 당한다면 맥주 가게를 더 키워 볼 생각을 하고 있었고, 맥주 가게를 열심히 운영하기 시작했습니다. 하지만 개점한 건물의 하자로 인하여 가게도 폐업하게 되었습니다. 회사라는 안전한 울타리와 달콤한 월급 없이 홀로 서야 할 위기에 처했지만, 오히려 새로운 시작의 기회가 왔다고 생각하고 단단히 마음먹었습니다.

2015년 봄, 첫 사업 아이템은 폐자전거를 수거하여 노인용 보행 보조 장치를 구안한 것이었습니다. 그 이후에는 일본에서 문구와 완구를 수입하여 국내 기업에 납품하는 일로 사업을 시작했습니다.

무엇을 해야 할지 확신이 없었기에, 저는 회사 생활을 하는 동안 주로 해왔던 일을 하기로 마음먹었습니다. 당시에 회사에서 무역 업무를 했었고, 또 해외에서 근무한 이력이 있었기에 제게 익숙한 무역업을 시작했습니다. 해외 근무를 하며 쌓은 재산과 회사에서 받은 급여 중 일부는 주식으로, 대부분은 모두 성북동 전세금으로 사용되었습니다. 그렇기에 창업 당시에 가진 현금 자산은 퇴사한 회사에서 받은 퇴직금과 위로금 800만 원이 유일했습니다.

다행히 제가 시작한 오퍼상(무역 거래에서 매도인과 매수인 사이의 거래 조건을 조정하는 일을 하는 사람)은 자본이 별로 들지 않기에 노트북과 다이어리 그리고 외국어만 할 수 있다면 시작할 수 있었습니다. 무역회사를 개업하고 일본의 오사카에 있는 도매 회사에 사업체를 등록하여 제품을 매입하였습니다. 2015년 당시만 해도 일본과의 거래는 온라인으로 진행되는 일이 지금처럼 활발하지 않았기에 전 오사카 도매 업체에 방문하여 매대를 쓸어 오곤 했습니다.

2015년 겨울, 일본 제품을 납품하던 회사에서 매입을 거절하여 재고를 떠안게 되었습니다. 재고를 소진하기 위하여 온라인 중고 카페에서 재고제품을 팔았고, 새로운 제품과 기회를 찾기 위하여 국내 박람회를 돌아다녔습니다.

창업 아이템은 박람회에서 찾는 것이 가장 좋은 방법입니다. 국내에서 시행되는 다양한 박람회에서 산업별, 분야별로 시장 흐름을 읽을 수 있는 좋은 제품과 기회를 찾아볼 수 있습니다. 2016년 봄, 박람회를 몇 번 거치면서 가능성이 있다고 판단되었던 제품들을 구매하여 가방에 넣고 동유럽으로 떠났습니다. 폴란드에 베이스를 마련하고 25박 26일 동안 바이어 찾기를 시작하였습니다. 그 당시 가방 속에 있던 제품 중 하나가 전동 얼굴 세안 장치였고, 그 덕분에 화장품 브랜드사를 만났습니다. 그리하여 화장품 업계로 들어오게 되었습니다.

그렇게 전 2019년까지 화장품 OEM, ODM 생산 수출을 주로 했습니다. 그 와중에 국내 중소기업의 제품 수출도 병행하였으나, 제품의 리뉴얼과 수입사의 의사 결정 번복 등으로 제품을 꾸준하게 수출하는 것이 어려웠습니다. 또한 브랜드사의 리뉴얼로 제품 공급이 중단되어 바이어를 놓쳤을 때의 허탈감은 매우 컸습니다. 이후 이러한 경험은 나만의 브랜드를 만드는 결정적인 계기가 됩니다.

2017, 2018년 영국의 브렉시트와 폴란드 협력사의 계약 미이행으로 큰 위기를 맞게 되었습니다. 결국 그때 새벽부터 저녁까지 아파트 공사장과 공공기관의 공조시설 하도급 업체의 수리공으로 일했습니다. 밤에는 메일로 이메일 제품 소개서를 보내는 무역업을 지속하였습니다.

2년간 '정말 인생의 쓴맛이 이런 거구나.' 싶은 기분을 느꼈고, 툭하면 우는 울보가 될 정도로 힘들었습니다. 2년을 밤낮없이 보내는 동안 육체노동으로 만든 수입으로 대출금을 상환했고 외국에 보낼 샘플을 구매할 수 있었습니다.

2019년 말, 성북구 보문동의 전셋집과 자동차를 처분하고 2020년 자사 브랜드 '위셀호프'를 런칭하며 본격적으로 화장품 브랜드 시장에 뛰어들었습니다. "후진은 없다. 천천히 가더라도 전진한다."라는 각오로 밤낮없이 일했습니다. 유럽과 미주의 경우, 한국과의 시차가 있었기에 밤에도 근무를 놓을 수 없었습니다. 그렇게 퇴근이 있는 것도, 출근이 있는 것도 아닌 상태로 계속 컴퓨터 앞에 앉아 거래처를 찾고 메일을 보내는 작업을 했습니다.

2023년을 기점으로 '위셀호프'는 러시아, 베네룩스 3국(벨기에, 네덜란드, 룩셈부르크)과 5년 독점 계약을 한 상황이고, 규모는 17억 원 수준입니다.

독점은 아니지만, 기타 수출국은 홍콩, 대만, 말레이시아, 터키, 호주 등을 합하여 총 9개국입니다.

2020년 2개 제품으로 시작한 위셀호프의 화장품은 2023년 10개의 제품군으로 늘어났습니다. 매년 2~4가지 신제품이 런칭되므로 앞으로 타겟 시장의 요청과 소비자의 니즈에 맞게 계획적으로 제품을 개발 및 런칭할 계획입니다. 2024년의 목표 시장은 인도입니다.

창업의

시
작

STEP

1

내 주변을 관찰하라

1
왜 창업하는지
생각하라

창업이란 새로운 비즈니스를 시작하고 성공적으로 운영하기 위해 노력하는 행위를 의미합니다. 거기서 한 걸음 더 나아간다면, 창업은 비즈니스 아이디어를 구체화하고 혁신적인 제품이나 서비스를 개발하여 시장에서 차별화된 경쟁력을 가지는 것을 포함한다고 볼 수 있습니다.

1) 무엇을 할 때 재미있고 기쁜가?

학문적 의미의 창업을 이야기하는 책, 글, 강연은 많습니다. 창업할 때 가장 크게 고려해야 할 것은 창업하는 분야의 일이 '본인이 잘 알고, 즐거우며 때때로 어렵고 힘들더라도 지속할 수 있는 일인가?'입니다.

1인 창업은 본인이 맡았던 업무의 연장선에서 출발할 수도 있고, 때론 취미에서도 시작되며, 번뜩이는 아이디어, 생활 속의 불편함에서 비롯되기도 합니다. 창업을 막연하게 크고 거창한 것으로 생각할 수도 있지만, 사실 창업은 본인 혹은 주변의 지인들이 느끼거나 생각한 작은 아이디어들로부터 시작될 수 있습니다.

만약 창업을 자신이 좋아하는 것으로부터 시작한다면 우선 본인이 잘 아는 분야이므로 전문적으로 접근할 수 있습니다. 예를 들어서 자전거를 좋아한다면, 자전거의 구조와 부품과 브랜드, 수리 방법 등을 잘 알기에 해당 분야의 창업에 유리합니다. 자전거를 좋아하지만, 삼겹살 식당을 창업할 때와는 다른 맥락입니다. 관심 있는 영역에서 창업한다면 아이디어가 샘솟고 지루함을 느끼는 빈도도 낮아집니다.

저는 회사에서 무역 업무를 오랫동안 담당했었습니다. 거래하는 국가는 달랐지만 4번의 이직을 하는 동안 직무는 공통적으로 무역에 관련이 있었습니다. 무역은 재화와 용역이 국경선을 넘어 타 국가로 이전되는 행위입니다. 요즘은 직구로 쉽사리 타 국가의 제품을 구매할 수 있지만 13년 전에는 오늘날과 달랐고, 해외 제품을 일반 개인이 쉽고 편리하게 구매하기 어려웠습니다. 회사생활을 하면서 저는 대형 선박의 부품, 수산물, 전략 물자 등을 수출했었습니다.

제 창업의 시작은 오퍼상입니다. 오퍼상은 소규모 무역 회사입니다. 제품을 수입, 수출하여 중간에 이문을 남기는 구조입니다. 제품을 구매할 바이어와 제품을 공급해 줄 제조 공장 혹은 브랜드를 찾아야 합니다.

저는 제가 좋아하는 일을 선택한 것이 아니고 경험이 있는 분야를 선택하여 시작했습니다. 저에게는 뚜렷한 취미도 특기도 없었기 때문입니다.

2

무엇에
흥미를 느끼는가?

인간은 저마다 흥미 있는 분야가 다릅니다. 자동차를 좋아하여 동호회에 들어가 정보를 공유하고 부품을 수급하거나 조언을 구하기도 합니다. IT 제품을 리뷰하거나 직접 구매하여 사용 후기를 개인 블로그나 유튜브에 업데이트하는 것을 즐기는 사람도 있습니다. 하루의 마무리를 침대에 누워 새로 출시된 라면 먹는 방송을 보며 평온함을 느끼기도 합니다.

페르소나를 창출하여 확인해 보겠습니다.

33세 / 여자 / 이지현 / 독서

38세 / 남자 / 백호민 / IT 제품

41세 / 남자 / 신충수 / 자동차

30세 / 여자 / 표지윤 / 발레

35세 / 남자 / 김재현 / 맛집 탐방

36세 / 남자 / 이동길 / 꽃꽂이

39세 / 남자 / 박진선 / 요리

독서가 취미인 이지현은 주말과 퇴근 후, 시간 날 때마다 책을 읽고 서평을 기록합니다. 책을 분석하고 읽는 일이 기업에서 발표하고, 자료를 만들고, 기획하는 일에 많은 도움이 된다고 느끼기에 더욱 책을 가까이합니다. 책을 읽다 보면 모르는 정보와 지식을 습득할 수 있고 마음이 차분해지는 것을 느낍니다. 기업 내의 보고서나 기획서를 작성할 때 단어를 고르는 과정이나 문장을 매끄럽게 할 때도 큰 도움이 됩니다. 취미가 도움이 되어 기업 내에서의 업무를 깔끔하게 할 수 있고 '나도 책을 써 볼까?'라는 목표도 생깁니다. 책을 써서 발간하고 작가가 된다면 개인적인 성취일 뿐만 아니라 북 콘서트나 강연을 통하여 부업을 할 수도 있을 거라 생각을 해 봅니다.

IT 제품을 좋아하는 백호민은 오늘도 영상을 통하여 신제품을 살펴봅니다. IT 제품을 좋아하여 IT 기업에서 재직 중입니다. 직업과 취미의 상호 관계가 좋아 회사 내부에서도 소식통으로 통하고 영업 활동에서도 많은 도움이 됩니다. 국내와 해외에서 출시되는 신제품은 리뷰 작성을 위하여 구매 후 직접 사용해 보고 소감을 블로그에 기록합니다. 많은 사람이 블로그에 들어와 자신의 사용 후기를 읽고 도움이 되었다는 댓글을 남길 때 큰 보람을 느낍니다. 블로그는 물론이고 개인 방송을 시작해 볼까 하는 고민을 하는 중입니다.

자동차를 사랑하는 신충수는 오늘도 퇴근 후 세차를 합니다. 엔진 상태를 점검하고 성능을 테스트하는 그의 귀는 자동차의 작은 소리도 구분할 수 있

1인 기업, 1천만 원으로 충분하다

는 경지에 올랐습니다. 자동차 커뮤니티 내에서도 상당한 입지로 사람들에게 조언을 해주곤 합니다. 원하는 부품이 한국에 없을 경우, 외국에 주문해야 하기에 아마존과 구글에서 검색하고 구매합니다. 처음에는 필수적인 부품을 수급하기 어려워서 국내 폐차장에 확인해 보고 온라인 카페에서 구매하기도 했었습니다. 하지만 점점 더 수입 클래식 자동차에 대한 부품의 수급이 어려워졌고 해외 구매만이 유일한 부품 조달 방법이 되었습니다.

또한 간단한 경정비를 동영상으로 찍어 온라인 카페에 공유하다가 유튜브 채널을 만들어 공유하기 시작하자 구독자 수가 늘어났습니다. 오늘은 자동차 커뮤니티에서 대량으로 부품을 구해 달라는 요청을 받았습니다. 요청을 통하여 지금 회사생활과 부품 수입 유통업을 시작할 마음을 굳힙니다.

취미가 발레인 표지윤은 퇴근 시간이 기다려집니다. 오늘은 새로운 동작을 배우는 날이기 때문입니다. 새로운 동작은 어렵지만 성공했을 때의 성취감으로 하루의 스트레스를 모두 해소할 수 있습니다. 취미반으로 시작했지만 발레 공연도 관람하고 관련 제품들에도 관심이 생겨 월급날에는 꼭 하나라도 발레 용품을 구매합니다. 표지윤은 발레를 할 때 발목을 조금 더 꽉 잡아주는 무엇이 필요하다고 느꼈습니다. 국내에서 찾아보기도 하고 해외 사이트를 뒤져서도 찾아봤지만, 원하는 제품을 못 찾았기에 스스로 만들어 보기로 마음먹습니다.

맛집 투어가 취미인 김재현은 오늘 퇴근 후 약속이 있습니다. 새로 오픈한 사무실 근처 식당에 회사 동료와 함께 가기로 했기 때문입니다. 김재현은 술과 해산물을 좋아하기에 오늘 방문하기로 약속된 활어 횟집에 기대하며 도착했습니다. 오늘은 동료가 계산하기로 한 날이라 더욱 맛있을 예정입니다. 내가 해산물 식당을 해 보면 어떨까 고민을 잠시 해 봅니다. 해산물을 잘 알기에 어떻게 조리하면 맛있는지 알고 있고, 지금 방문한 점포에서는 판매하지 않는 메뉴를 더 잘 개발할 자신이 있기 때문입니다.

예쁜 꽃을 사랑하는 이동길은 이번 주 꽃꽂이 클래스에서 배워 만들어온 꽃을 자신의 방에 진열하는 것이 큰 기쁨입니다. 꽃꽂이를 시작하면서 큰 소리로 떠드는 자신의 태도가 차분하고 안정적인 상태로 변화되었고, 그런 자기 모습을 보며 점점 더 꽃꽂이에 빠져들었습니다. 다음 주에는 어떤 꽃을 만나게 될지 설렘을 안고 수업을 기다립니다. 꽃꽂이하여 만든 작품을 누군가에게 선물할 때 큰 기쁨을 느낍니다. 예쁘게 만든 작품을 선물할 때, 타인의 마음속에 기쁨과 위로를 줄 수 있기 때문입니다. 타인에게 그런 기쁨을 계속 주고 싶다고 생각합니다. 재능 기부 형식으로 어려운 사람들의 결혼식에 부케를 제작해 주고 싶다고 생각합니다.

음식을 만들어서 가족, 친구, 지인들과 파티를 즐기는 박진선은 금요일인 오늘 퇴근길은 요리에 사용할 다양한 식자재를 구매했습니다. 주말에 가족들을 초대할 계획으로 3가지 정도의 메인 요리를 준비할 계획입니다. 고기를 준비하고 채소도 신선한 것으로 샀습니다. 어른들을 위한 주류와 어린이들을 위한 디저트는 따로 준비했습니다. 요리를 자주 하다 보니 아내의 눈치가 보이긴 하지만 좋은 칼과 도마를 사고 싶습니다. 또 기회가 된다면 내게 딱 맞는, 왼손잡이가 편하게 사용할 수 있는 칼과 도마를 만들어 사용하고 더 나아가 주방용품 브랜드를 만들어 보고 싶다는 생각을 했습니다.

자, 여기서 우리는 다양한 사람들이 각자의 취미 생활과 관련된 많은 제품을 소비하고 있다는 것, 그리고 취미 생활을 본인의 생활에 적용하며 그 안에서 가치를 창출함을 알 수 있습니다. 본인의 취미가 없다면 옆에 있는 사람의 취미를 물어보시고, 눈을 크게 뜨고 주위를 둘러보세요. 불편함을 편리함으로 바꾸는 것도 좋은 창업 아이템이 될 수 있습니다. 취미에서 찾기 힘들다면 불편함을 느끼는 것이 무엇인지, 그것을 어떻게 개선하면 좋을지 고민해 보세요.

3

창업자의 마인드를
가져라

1) 음악을 좋아하는가?

즐겨 듣는 음악과 좋아하는 가수가 있나요? 제 경우에는 어느 특정한 기간에 집중적으로 좋아하는 한 가지 음악을 계속하여 듣곤 했습니다. 시간이 흘러 우연히 그 음악을 듣게 됐을 때, 그 음악을 집중적으로 들었던 때의 상황이 머릿속에 그려집니다.

'버터플라이(영화 국가대표 OST)'라는 음악을 한동안 들었을 때가 있었습니다. 2016년 초봄, 오스트리아 빈 기차역에서 코트라 빈 무역관 사무실을 찾아가는 여정에서 길을 잃은 적이 있었습니다. 그 당시, 날씨가 좋지 않아 비바람이 불고 개기를 반복했습니다. 행인들에게 길을 물어보고, DHL 기사님에게 부탁해서 길을 찾는 여정이었습니다. 당시 통신비의 부담으로 로밍은 못 했고 지도는 컴퓨터에서 캡처한 화면과 기차역에서 얻어 온 종이 지도를 가지고 있었습니다.

비바람이 코트 깃을 흔들고 얼굴을 적시자 결국 길거리 가게의 처마 밑으로 피하게 됐고, 그 상황에서 문득 느끼게 되었습니다.

'이것이 바로 사업의 과정이다. 앞으로도 사업하는 중에 비바람이 많이 몰아칠 수 있을 테고, 그러면 목표를 향해 나아가는 일이 더디게 될 수 있다. 또한 길을 잘못 들어 헤맬 수도 있을 것이다. 하지만 그렇더라도 포기하지 않고 계속해서 걸어야 한다.'

이런 생각을 했을 당시, 버터플라이라는 음악이 이어폰을 통해 들려오고 있었고, 그 가사에는 희망이 담겨 있었습니다. 현실이 힘들고 고될지라도 용기를 불어넣는 음악을 듣고 있었기에 도움이 되었습니다.

음악은 자신의 마음을 감정을 대변하는 하나의 소통 창구라고 생각합니다. 연인과 이별한 상황에서는 이별 노래를 많이 듣고 슬픔을 위로받기도 합니다. 또 운동할 때는 신나는 노래를 틀어 놓고 힘을 돋우기도 합니다. 이처럼 음악은 때와 장소, 마음의 상태에 따라 장르를 골라 듣게 됩니다. 저는 주로 가사에 희망이 담겨 있는 노래를 많이 듣습니다.

2) 좋아하고 즐겨 읽는 글이나 작가가 있는가?

창업을 계획 중이거나 이미 창업했다면 책을 많이 읽어야 합니다. "경험이 중요한 것 아닌가요?" 네, 맞습니다. 다만 내가 할 수 있는 경험은 한정적입니다. 타인의 경험과 노하우를 책을 통해서 습득해야 합니다.

어떤 책을 읽을까요? 어떤 책이 좋은 책인가요?

정답은 없습니다. 본인이 원하는 책을 읽으세요. 독서 자체가 주는 안정감이 있으며 읽다 보면 좋은 책을 알아보는 눈도 생기게 됩니다.

'위셀호프'라는 브랜드명은 책을 읽다가 발견했습니다. 상표 등록 문제와 브랜드 정체성, 색깔, 타겟 소비자 등 여러 조건으로 브랜드명을 고민하고 있었으나 확정하지 못한 상태였습니다. 한 책을 읽던 중, 내용 중에 미국의 화장품 회사 레브론(Revlon)의 회사 입구에 'We Sell Hope'를 써 놓은 비석이 있다는 것을 알게 되었습니다.

그 즉시 미국, 대한민국, 유럽 연합, 일본과 베트남에 'WSH. We Sell Hope'를 상표 등록하였습니다. 책을 읽지 않았다면 지금 운영하는 화장품의 브랜드명은 '위셀호프'가 아니었을 가능성이 큽니다. '위셀호프'는 사용자 본인의 희망과 함께, 우리가 사는 사회 모두의 희망을 의미합니다.

책을 읽다 보면 문학, 비문학 모든 부분에서 작은 부분이라도 본받고 노트에 필기할 내용을 만나게 됩니다. 그것은 소설 속 주인공의 태도일 수도 있고, 경영서의 지침일 수도 있습니다. 그 필기 된 내용을 잘 정리하여 가지고 있다가, 일이 잘 안 풀리고 어려울 때 꺼내 읽으면 답을 주기도 합니다. 그렇게 쌓아 올린 독서 기록은 훌륭한 등대가 되어 길을 비춰 줄 것입니다. 본인의 경험에만 의지하지 말고 타인의 경험과 지식, 지혜를 내 것으로 체득하는 과정이 반드시 필요합니다.

4

창업 아이디어를
발굴하라

아이디어, 제품, 서비스에 대하여 아무런 준비가 없거나 계획이 없다면 코엑스, 킨텍스, 세텍, 벡스코, 김대중컨벤션센터, aT센터에서 진행되는 수많은 박람회에서 이를 찾을 수 있습니다. 박람회에서 꼼꼼히 잘 관찰하면 트렌드를 볼 수 있게 됩니다. 또한 박람회에는 국내 바이어를 찾는 해외 브랜드의 부스도 있고, 수출을 원하는 국내 브랜드 부스도 있을 것입니다.

해외 브랜드를 국내에 수입하여 제품을 유통해 보고 싶다면 외국 브랜드를 찾아가 정보를 얻고 말을 붙여 브랜드와 제품에 대하여 질문을 해 보세요. 많은 브랜드를 만나고 박람회에 자주 찾아가서 참가 업체의 부스를 꼼꼼히 보면 마음에 드는 제품과 브랜드를 찾을 수 있습니다. 제품을 많이 보고 비교해 보아야 제품을 보는 눈이 생깁니다.

1) 스포츠로 페르소나 창출 예시

페르소나를 설정하여 확인을 해 보겠습니다.

37세 / 남자 / 김태우 / 권투

34세 / 여자 / 이유진 / 필라테스

38세 / 남자 / 최한솔 / 서핑

41세 / 남자 / 여환상 / 축구

스포츠에 흥미가 있으시다면 스포츠 용품과 관련된 품목이 좋습니다. 스포츠 용품엔 다양한 종류가 있는데, 프로 선수용, 아마추어 선수용, 생활 스포츠인용, 동호회, 입문자들이 사용하는 용품 등입니다. 용품마다 차이가 있습니다. 타겟을 어디로 잡을 건지, 어떤 제품을 선정할 건지, 먼저 결정을 해야 합니다.

사업 초기에는 전문 선수용 제품보다는 동호회나 입문자용을 먼저 시작해서 해당 필드의 시장성을 먼저 확인하고, 품목을 늘리는 방식으로 진행하는 게 좋습니다.

사업이 안정기에 들어가면 전문가용 브랜드를 수입하거나 제조하여 런칭하는 것이 좋습니다. 고급 브랜드와 선수용 제품을 유통하거나 수입 혹은 개발하기 위해서는 해당 시장과 제품군에 대한 데이터와 노하우가 쌓여야 합니다.

37세 / 남자 / 김태우 / 권투

복싱화 / 복싱글러브 / 줄넘기 / 샌드백 / 마우스피스 / 헤드기어 / 반바지 / 땀복 / 핸드랩(붕대)

1인 기업, 1천만 원으로 충분하다

34세 / 여자 / 이유진 / 필라테스

필라테스복 / 필라테스화 / 필라테스 양말

38세 / 남자 / 최한솔 / 서핑

서핑복 / 서핑 보드 / 선크림

41세 / 남자 / 여환상 / 축구

축구화 / 유니폼 / 무릎 보호대 / 정강이 보호대 / 안전 관련 용품

4명은 서로 각각 다른 나이, 성별의 사람이자 취미로 즐기는 운동이 있습니다.

선수, 아마추어, 동호인 모두에게 필요한 제품이 있습니다. 운동 강도가 높아지면 효과적인 운동의 수행을 위해서 근육을 잡아 주는 테이프입니다. 근육 테이프의 방수 능력이 좋다면 38세 남자 최한솔이 서핑 시에 사용할 수 있을 것입니다. 그 정도의 방수 능력이면 물에 들어가서 하는 모든 종목의 선수들이 사용할 수 있기에 육상 스포츠와 해양 스포츠를 아우르는 넓은 시장을 형성할 수 있습니다.

실제로 근육 테이프의 경우, 거의 모든 종목의 선수들이 사용합니다. 즉 하나의 종목에 집중한 제품을 선정할지 아니면 근육 테이프처럼 모든 종목의 선수들이 활용할 수 있는 제품을 선정할지 조사와 고민이 필요합니다.

개별 종목으로 제품을 찾는 것이 유리할 수 있으나 이미 시장에 널리 퍼진 제품이나 브랜드가 있는지 확인해야 합니다. 예를 들어 필라테스 기구는 필라테스 학원에서 레슨을 받는 데 사용합니다. 사업을 한다면 필라테스복을 신경 써서 확인하고, 세계적으로 어느 나라에서 필라테스를 많이 하고 어떤 브랜드의 제품을 많이 쓰는지 확인해야 합니다. 물론 필라테스 기구를 개발하거나 연구하여 새로운 제품을 시장에 선보일 수도 있습니다.

축구는 어린이부터 성인까지 폭넓은 연령층에서 즐기는 스포츠입니다. 축구화, 축구 양말, 유니폼은 다국적 기업에서 생산하므로 1인 기업이 접근하기에는 어렵습니다. 그렇다면 '내가 축구를 할 때 필요한 것은?', '여성 축구 인구가 늘어나는 시점에 필요한 제품은?' 타겟을 좁혀서 접근하는 방법도 좋은 방법입니다. 여성 축구 인구가 사용하기 좋은 제품을 만드는 방법도 있습니다. 어떤 제품이 필요하고 리뉴얼하는 것이 좋을지 모르겠다면 여성 축구인들이 모이는 장소에 가서 물어보는 것이 가장 빠른 방법입니다.

어린이용, 여성용 등 타겟을 좁히면 시장이 좁아지지만, 반대로 좁아진 시장만큼 경쟁자 수는 줄어듭니다. 시장을 좁혀 1등이 된다면 브랜드로 성장할 수 있는 가능성이 커집니다.

2) 시장 조사와 경쟁 분석

37세 남자 김태우는 권투를 취미로 하므로 근육 테이프와 마우스피스로 사업을 시작했다고 가정해 봅시다. 권투는 프로와 아마추어, 생활 스포츠 3가지로 구분됩니다. 프로와 아마추어(엘리트 선수)는 직업이므로 최상의 컨디션을 유지할 수 있는 제품을 사용합니다. 이들이 사용하는 마우스피스와 근육 테이프를 조사하고 시장에 접근합니다.

제조사, 제조국, 최소 주문량, 지불 조건, 인코텀스, 한국 내 유통 허가 사항 등 기본적 내용과 한국 시장에서 해당 제품들이 어떻게 판매되고 있는지 조사합니다. 권투 글러브와 권투화는 대기업 브랜드에서 생산 중이므로 우선 제외합니다.

기존 제품 중 틈새를 못 찾았다면 다른 방법을 생각해야 합니다.

권투를 하면 땀을 많이 흘리게 되고 글러브 내부가 땀으로 범벅이 됩니다. 그대로 방치하면 냄새가 나고 심할 경우 글러브 솜이 굳어서 부러지게 되어 글러브를 버려야 합니다. 그렇다면 글러브는 못 만들어도 글러브 건조기는 만들 수 있지 않을까? 실제로 제가 제작해 보려고 했습니다.

글러브를 사용하고 건조기에 넣어 글러브를 말리게 되면 청결히 사용할

---

i 인코텀스(Incoterms): 국제 상공 회의소가 무역 계약에 사용되는 각국의 조건을 통일할 목적으로 제정한 무역 조건에 관한 국제 규칙

수 있을 것이라 생각했습니다. 먼저 현재 시장에서 이와 같은 제품이 있는지 확인했습니다. 시장에는 해당 제품과 유사한 제품은 없었습니다. 그렇다면 상용화의 가능성을 판단해 볼 차례입니다.

산을 주말마다 등반하는 김태우는 선크림이 녹아 눈에 들어간 경험으로 고통스러웠던 기억이 있습니다. 인공 눈물이나 생수가 없어서 다른 등산객의 도움을 받았었습니다. 그 이후, 땀이 나도 눈이 시리거나 아프지 않게끔, 또 그럼에도 선크림이 지속적으로 피부를 보호할 수 있게끔 하는 제품을 개발하겠다고 계획을 합니다. 또한 물에 들어갔을 때 선크림이 바다의 환경을 파괴하지 않으며, 남녀노소 누구나 사용할 수 있는 제품 개발에 대한 계획을 세우게 됩니다.

기존 제품과 다른 점은 무엇인가? 기존 제품과의 차별점이 무엇인지 고민해야 합니다. 선크림은 자외선을 효과적으로 차단하고 도심과 야외 모두에서 사용할 수 있게 개발해야 합니다. 김태우는 아웃도어에 맞추어 외출 전후 관리가 가능한 제품 라인을 만드는 것이 중요하다는 판단을 했습니다. 그렇기에 선크림의 기능 효과를 사람들의 외출 스케줄에 따라 개발합니다.

[선크림 – 출근, 외출 – 귀가 – 클렌저 – 쿨링셔벗],

[선크림 – 외부활동, 스포츠 – 귀가 – 클렌저 – 쿨링 필오프 마스크팩 – 쿨링 셔벗]

1인 기업, 1천만 원으로 충분하다

34세 이유진은 필라테스를 일주일에 3회 수련합니다. 필라테스를 하면 몸은 힘들지만 스트레스 해소에 좋기 때문입니다. 땀 흘린 필라테스복을 가방에 넣어 집에 가져와서 세탁하고 말렸다가 출근할 때 챙겨 가는 방법으로 운동을 합니다. 옷이 몇 벌 있지만 빨고 말리기를 계속하면 옷이 쉽게 상하기도 하고 귀찮습니다.

그러던 중, 일반 기능성 옷으로 출퇴근할 때 입을 수 있는 옷이지만 필라테스를 할 때 운동을 보조하기에도 좋은 옷은 없을까 찾아봅니다. 필라테스를 할 때 입는 옷은 근육의 모양을 잘 보이게 하기 위해서 몸에 달라붙는 경우가 많습니다. 여자들만 같이 운동할 때는 상관없었지만 남자 수강생들이 들어오기 시작하면서 군살이 신경 쓰입니다. 효과적으로 군살을 가려 주는 필라테스 옷을 찾아 인터넷에 검색해 봅니다. 헐렁한 티셔츠를 하나 더 입고 운동을 하고 있지만 덥기에 살을 빼서 옷을 다시 사겠다는 생각을 합니다.

이렇게 자신이 원하는 니즈(Needs)가 있지만, 그런 니즈를 기존 제품에서 찾을 수 없다면 다른 방법을 찾아야 합니다. 이유진은 운동을 스스로 해 본 결과 개선 사항을 반영한 제품 특성을 찾을 수 있었습니다. 예를 들자면 하의는 레깅스를 그대로 사용하고 상의는 쿨링 재질의 티셔츠로 몸에 달라붙지 않으면서 시원하고 잘 마르는 것을 선택했습니다. 추가적으로 운동을 수행할 때 흘러내리지 않고 목과 등을 잡아 주어 운동에 도움이 되며 적당한 핏을 내는 셔츠 브랜드를 런칭할 수 있습니다.

취미로 서핑을 시작한 최한솔은 오늘도 '바다의 바람은 어떨까, 파도는 좋겠는데, 햇살은 충분해.'라는 상상을 하며 출근합니다. 지난주 서핑을 갔다가 새로운 기술을 연습했기에 당장 바다로 달려가고 싶지만 중요한 재판이 잡혀 있어 변론 기일까지 빠듯이 서류를 만들어야 합니다.

한편, 지난주에 서핑을 하고 슈트가 마음에 들지 않아 신제품으로 출시된 슈트를 주문했습니다. 얼굴도 너무 타는 것 같아 선크림도 바꿨습니다. 역시 스포츠를 즐기려면 많은 것이 필요하다 느끼며 오늘 점심에는 뭘 먹을까 고민하다가 서핑 보드는 얼마일까 궁금증이 일어 검색을 시작합니다. 서핑 보드는 살 수 있을 것 같은데 다만 내 자동차에는 싣고 이동하기 불가능하다는 것을 깨닫고 다시금 점심 메뉴를 고민합니다.

기존 시장에 존재하는 제품들을 내가 전부 알고 있는 것은 아닙니다. 찾아보니 서핑 보드 중에 공기를 주입하여 사용하고, 사용을 마친 후에는 공기를 빼서 옮기기 쉽게 되어 있는 제품도 있었습니다. 그렇다면 최한솔과 같이 서핑 보드를 소유하고 싶어 하는 사람들이 많을까요? 서핑 매장에서는 보드 대여 말고 보드 판매도 가능할까요? 판매한다면 어떤 보드를 판매하고 있을까요? 이런 의문들에 대한 답을 찾아야지만 해당 시장에 진입이 가능한지 알 수 있습니다.

사내 조기축구회 회장인 여환상은 오늘도 자신의 플레이를 점검합니다. 시합 전 오늘의 작전을 팀원들에게 전달할 때 공을 잡으면 나에게 패스하라고 이야기를 했습니다. 팀의 공수를 조절하는 역할을 맡은 자신의 플레이가 얼마나 팀에 중요한지 알고 있기에 지난번 시합에서도 소리를 많이 질렀습니다. 때문에 축구를 했음에도 다리보다 목이 더 아팠습니다. 작전 설명하기 전에 목 캔디를 하나 입에 넣습니다.

지난주에 새로 구매한 축구화가 마음에 들어 기분이 좋습니다. 팀원들을 위해 선크림도 구매하여 나눠 주었습니다. 사내 축구 대회에서 우승한 경험이 있는 그는 축구에서 장비의 중요성을 잘 알고 있습니다. 신체 능력을 보조하고 부상을 방지하기 때문입니다.

축구를 할 때 부상 방지에 필요한 것이 무엇일지 고민해야 합니다. 잔디에서 축구를 할 때와 흙에서 할 때가 다르고 조기 축구와 초, 중, 고, 대학생들의 축구가 다르기 때문입니다. 축구를 하다 보면 넘어집니다. 흙바닥에 손바닥을 짚으면 까지고 피가 납니다. 장갑은 덥고 불편합니다. 간단히 손바닥과 손목을 보호할 수 있는 보조장치의 필요성을 여환상은 예전부터 고민했습니다. 종아리 근육 경련이 있을 때 빠르게 근육을 풀어 주는 장치가 있다면 좋겠다고 생각했습니다. 그렇다면 이 제품에 대해 시장 조사를 해 본 후, 시장 진입이 가능하다면 제품 개발을 하는 것도 가능할 것입니다.

5

사업의 필수 요소를
체크하라

1) 주변 사람에게 질문하라

김태우의 권투 글러브 건조대

　몇몇 체육관 관장님들을 만나 이야기를 해 봤지만 "권투 글러브 건조기의 필요성이 없다."는 대답이 돌아왔습니다. '과연 그럴까? 그렇다면 글러브 건조대는 글러브만 건조하는 용도로 사용하는 것인가?'

　글러브 건조대는 무엇이든 2개를 한 번에 건조할 수 있다는 장점이 있습니다. 권투 글러브, 장갑, 신발 등을 건조할 수 있습니다. 일반 가정에서는 사용할 가능성이 적기에 실내 운동을 하는 곳, 신발을 신는 체육관에서 사용하면 좋습니다. 빨래방이나 신발 빨래 전문점에서 사용해도 좋을 것이라고 생각했습니다.

　아이디어를 낸 본인이 아닌 주변인에게 물어봤을 때 구매하겠다는 비율이 2/3가 되면 도전할 만합니다. 하지만 글러브 건조기는 구매하겠다는 사람이 아무도 없었습니다. 글러브 건조기를 특허 등록만 하기로 결정합니다.

김태우의 워터프루프 선크림

시장 조사 과정에서 청계산과 관악산 등산객들에게 물어봤습니다. 등산객들의 대답은 다양했으나 공통된 사항은 선크림을 바르면 눈이 시리고, 땀에 흘러내리며, 계속 덧바르는 불편함이 있었다는 것. 그리고 땀이 흐르기 시작하면 덧발라도 소용없다는 사실이었습니다.

조사된 3가지의 불편 사항을 개선하여 제품을 개발하기 시작했습니다. 수차례의 샘플링과 테스트를 통하여 워터프루프 기능과 눈이 따갑고 시리지 않으며 땀과 물에 강한 제품을 개발할 수 있었습니다. 이러한 고객의 요구에 맞는 제품을 개발하여 '딥오션 선스크린'을 효과적으로 시장에 런칭할 수 있었습니다.

이 제품은 더위가 심한 외국으로 수출하였고, 국내에는 서핑 매장에 영업을 다녔습니다.

국내 해안가 서핑 매장에 제품 손님을 위한 체험 부스를 제작하여 서퍼들이 사용할 수 있게 했습니다. 서퍼와 서핑 매장 이용 손님의 사용 경험이 구매로 이어지기 때문입니다.

이유진의 보정 필라테스 티셔츠

건강하고 탄력적인 신체에 대한 열망과 사회적 시선, 몸매 커버에 대한 사람들의 관심은 다이어트가 하나의 거대한 산업으로 자리 잡을 수 있게 만들었습니다. 체형 보정 티셔츠는 많은 고민이 필요하겠지만 원사, 제조

공정, 보정 정도를 신중히 고려하여 제작한다면 가능성이 있다고 생각됩니다. 운동의 종목과 관계없이 입을 수 있고 땀 흡수와 빠른 건조 기능이 기본으로 적용되며 등과 목을 잡아주어 운동 효과를 극대화할 수 있는 제품으로 개발된다면, 제품 카테고리를 패션이 아닌 스포츠로 바꾸어 효과적으로 시장에 진입할 수 있습니다.

최한솔의 튜브형 서핑 보드

꾸미기를 좋아하는 사람, 나만의 서핑 보드를 가지고 싶은 사람이 얼마나 되는지 조사가 필요합니다. '국내의 파도를 버틸 수 있는 재질로 개발된 제품인가?', 'A/S는 어떻게 해야 하는가?' 충분한 고민을 하고 접근해야 합니다. 국내 서핑을 포함한 수상 스포츠 시장은 어떻게 움직이게 될 것인지 깊게 조사해야 합니다.

여환상의 손바닥 보호대와 다리 경련 완화 기구

'넘어졌을 때 손바닥과 손목을 보호하는 장비는 필요한 것인가?', '자전거 장갑이나 웨이트 트레이닝할 때 사용하는 장갑으로 대체할 수 있지 않을까?', '그렇다면 축구라는 틀에서는 어떤 제품이 좋을까?', '시중에 판매되는 종아리 근육 이완 기구와 같은 도구로 다리 경련을 효과적으로 완화할 수 있는가?', '다리 근육 경련을 완화하는 방법 중에 최대한 빨리 효과를 낼 수 있는 방법은 무엇인가?' 근육 경련과 같은 문제는 정형외과 전문의나 재활 의학과 교수님과 같이 공동 개발한다면 매우 좋은 제품을 개발할 수 있다고 생각합니다. 마케팅으로 사용하기에도 매우 좋습니다. 같이 뛰는 옆에 선수들과 상대 팀 선수들에게도 물어보고 취합하여 가장 필요하다고 느끼는 문제점과 불편 사항을 중심으로 아이디어를 다시 모아서 결론을 내야 합니다.

김재현의 해산물 식당

해산물은 횟집, 조개구이, 조개탕 등 다양한 방법으로 유통되며 소비됩니다. 현재 상황에서 김재현이 해산물과 관련된 무엇을 한다면 건어물이 주된 역할을 하는 식당을 하라고 권유할 것입니다. 먹태 / 쥐포 / 마른오징어 등을 활용한 가맥, 호프 등의 전문점 창업이 대표적입니다.

건어물은 보관 조건을 준수한다면 장기간 보관도 가능합니다. 수입처는 오염수 방류가 영향을 덜 미치는 북해, 지중해와 대서양의 바다에서 잡은 어종으로 하고 수입국의 정보와 유통 과정을 소비자에게 공개하여 투명하게 경영하는 게 좋습니다. 그러면 건어물 맥주 가게로 끝나는 것이 아니라 하나의 건강한 건어물 브랜드로 상품화하여 성장할 수 있습니다.

신충수의 자동차 튜닝 부품

국내 자동차 커뮤니티를 조사하고, 본인의 차량에 맞는 튜닝 제품을 찾는다면 가능합니다. 다만 구조 변경 등 국내법상 저촉되는 부분이 없는지 확인해야 합니다. 튜닝 제품이나 외국의 자동차용품을 수입하여 유통하거나 본인이 튜닝 매장을 운영하여 튜닝을 직접 하는 것이 가장 기본적인 사업 모델이 될 수 있습니다.

다만 튜닝 매장을 운영하려면 자동차 수리에 관련된 자격증이 확보되어야 하는지 체크해야 합니다. 국내에서 희소성이 있는 자동차 모델이라면 소수의 고객을 확보하기에 수월합니다. 전 차종이 아닌 특별한 몇몇 차종을 시작으로 사업을 확대함에 따라 차종을 늘려가는 것이 좋습니다. 예를 들어 벤츠 SLK와 SL AMG의 부품을 전문으로 확보한다면 소수의 자동차 소유주를 대상으로 하지만, 반드시 필요한 부품이라면 신충수의 자동차 부품 가게로 연락해야만 할 것입니다. 벤츠 자동차 카페와 동호회에 가입하여 활동하면 더욱 쉽게 바이럴 마케팅을 할 수 있습니다.

이동길의 꽃집 창업

꽃꽂이 클래스를 수료하고, 꽃에 대한 지식을 충분히 쌓은 후 꽃의 성질과 조화를 이루어 예쁘게 꽃을 만질 수 있을 때 가능합니다. 여기서 중요한 것은 꽃에 대한 능력은 기본이 되어야 하고, 요즘은 사진 촬영 기술과 꽃집 내부에 스튜디오를 잘 꾸며 놓는 것이 더 중요합니다.

온라인 페이지를 만들고, 꽃을 예쁘게 구성해서 사진을 잘 찍은 뒤 온라인에 업로드하고, 블로거와 SNS 인플루언서를 활용하여야 합니다. 꽃집을 길 가던 사람이 들어가서 장미 한 송이 사는 시절은 지났습니다.

2) 필수 체크 사항

수입한 제품을 국내에 유통할 때, 국내에서 생산한 제품을 해외에 수출할 때, 자사 브랜드 제품을 생산하여 유통할 때, 여기에는 각각 다른, 필수적인 몇 가지 조건이 있습니다.

먼저 수입을 하게 되면 수량, 가격 조건, 무역 조건, 독점 판매 여부를 협상해야 합니다.

수량은 제품, 품목별로 제조사 혹은 수입사에서 요구하는 최소 주문량이 있습니다. 보통의 초도 물량은 최소 주문량으로 진행되는 경우가 많고 협상력에 따라 최소 주문량 조절을 할 수 있습니다.

독점권은 브랜드를 독점 수입 유통하는 조건인데, 이는 브랜드마다 다릅니다. 수입을 통하여 제품을 국내에 유통하려면 아래의 거래 조건을 잘 확인해야 합니다.

먼저 예를 들어 설명하겠습니다. 북해의 청어포를 덴마크에서 수입한다고 가정해 봅니다. 청어포를 만드는 공장이 덴마크에 있다면 한국-EU FTA를 통하여 관세를 할인받거나 무관세로 수입할 수 있습니다. 다만 품목마다 관세는 상이합니다. 1개당 수출 가격이 100유로인 제품을 덴마크의 공장 인수 조건인 EXW[ii] 조건으로 수입한다고 해 봅시다. 그러면 공장 창고에서 제품이 나온 후, 국내에 있는 우리 창고나 사무실까지 오는 모든 비

[ii] '공장 인도'라는 뜻으로 판매자가 제조시설이나 공장, 창고에서 상품을 구매자에게 인도하는 것

용은 수입사가 부담해야 합니다.

부담하는 비용은 덴마크 공장 선반에서 부두까지의 운송비, 상차와 하차 비용 등이 있고 국내까지의 운송비, 보험료가 있으며 국내에서 상차와 하차 비용, 국내 운송비, 관세, 부가세, 관세사를 위임했다면 관세사 비용 등도 발생합니다.

추가로 부가세 10%도 발생하는데 여기서 중요한 점은 제품 가격에 대한 10%가 아니라는 사실입니다. 물류비가 50유로 발생했다는 가정하에 물류비까지 포함된 150유로에 대한 부가세이므로 부가세는 10유로가 아닌 15유로가 발생하게 됩니다.

공장에서 FOB 조건[iii]으로 거래하였다면 위와 동일한 사항에서 덴마크 내부 물류와 덴마크에서의 상차와 하차 비용을 덴마크 공장에서 부담하게 됩니다. 무역은 보통 FOB 조건으로 가장 많이 거래하고 EXW 조건은 농산물이나 석탄 등 벌크 제품에 많이 적용됩니다.

DHL, Fedex, EMS와 같은 해외 택배 조건의 경우, 수입지의 관세를 제외한 모든 비용을 판매자 혹은 제품 발송인이 부담하는 조건입니다. 샘플의 경우 보통 EMS를 통하여 거래합니다. 우체국 해외 발송 시스템인 EMS가 가장 저렴하기 때문입니다. 다만 배송이 불가능한 지역이 있기에 우체국 온라인 사이트에서 확인해 보아야 합니다.

---

iii 수출자가 지정된 선박에 선적까지 물건값을 비롯한 지출된 비용을 부담하고 수출 면허 의무를 지는 거래 조건

1인 기업, 1천만 원으로 충분하다

인코텀즈 11개의 정형 거래 조건(Trade Terms)과, 인코텀즈 2020 개정 사항은 아래와 같습니다. 대부분의 거래는 FOB로 진행됩니다.

EXW(Ex-Works: 공장 인도 조건)

판매자는 상품을 창고에서 판매, 포장하는 데까지만 책임지고 자동차나 물류 시설에 제품을 싣고 내리는 비용과 위험을 구매자가 부담하는 조건입니다. 한마디로 구매자가 물품 거래에 있어서 발생하는 모든 비용과 위험을 감수해야 합니다. 모든 비용과 위험은 구매자의 몫으로, 판매자에게 가장 유리한 조건이며 구매자에게는 가장 불리한 조건이 됩니다.

예시) 마트에서 물건을 계산하고 떨어뜨려 물건이 파손되었다면, 이는 구매자의 책임입니다. 마찬가지로 구매한 물품을 창고에서 꺼낸 순간, 그 이후부터 물건이 파손되거나 잘못된 것에 대한 모든 책임은 구매자가 지게 되는 것이 EXW입니다.

FCA(Free Carrier: 운송인 인도 조건)

판매자가 수출 통관과 함께 구매 당사자가 지정한 운송 대리인(포워더)에게 물품을 전달하기까지 비용과 위험을 책임지는 조건입니다. EXW 조건과 비슷하지만 FCA 조건에서는 판매자가 '적재' 및 '수출 통관'까지 책임을 진다는 면에서 차이가 있습니다. 지정된 장소에서 구매자가 지정한 운송인에게 전달 및 적재하는 순간에 모든 책임이 이전됩니다.

예시) 창고에 트럭이 도착하여 적재함에 물건을 옮겼다면 책임이 구매자에

게로 이전됩니다. 다만 여기서 수출 신고는 판매자가 진행합니다.

FAS(Free Alongside Ship: 선측 인도 조건)

판매자가 수출 통관과 함께 물품을 선적항 본선의 선측(Alongside)까지 전달했을 때까지 모든 비용과 위험을 책임지는 조건입니다. 적재 항구와 선박을 사전에 지정하고 지정된 선박의 측면에서 책임이 이전됩니다. 판매자가 수출 통관의 의무와 비용을 부담합니다. FAS는 대체로 재래 화물, 벌크 화물과 같이 중량 단위로 거래되는 물품을 거래할 때 많이 쓰입니다.

예시) 밀이나 쌀처럼 포장이 안 된 화물을 전용 트럭으로 선적 예정 선박 옆에 화물 트럭이 주차하는 순간 책임이 이전됩니다. 수출 신고는 판매자가 합니다.

FOB(Free on Board: 본선 인도 조건) **가장 많이 사용되는 거래 조건**

판매자가 수출 통관과 함께 물품이 선박에 실릴 때까지의 모든 비용과 위험을 부담하는 조건입니다. 무역 거래에서 가장 많이 알려진 FOB 조건이며, FOB 또한 판매자가 수출 통관의 의무와 비용을 부담합니다. 판매자의 자국 내의 운송 비용을 부담하고 선박 혹은 항공기에 물품이 적재되었을 때부터 구매자에게로 책임이 이전됩니다.

예시) 화장품 한 박스를 수출하는 경우에 배 혹은 비행기에 물건이 적재되었을 때 책임이 이전됩니다. 물건이 국내 운송 도중에 사고로 파손되었다면 판매자 책임이고 배나 비행기가 사고로 물건이 소실 되었다면 구매자

1인 기업, 1천만 원으로 충분하다

책임입니다.

CFR(Cost and Freight: 운임 포함 인도 조건)

판매자가 FOB와 비슷하게 물품이 실릴 때까지의 위험에 대한 책임을 지는 조건입니다. 구매자의 수입항(목적항)까지 운송되는 비용을 판매자가 부담합니다. 'FOB+수입항(목적항)까지의 운송비+수입항 통관 절차 비용'을 일컫습니다. 일반적으로 컨테이너를 사용하지 않는 해상 운송 화물에 사용됩니다.

CIF(Cost Insurance and Freight: 운임 포함 인도 조건)

판매자의 책임과 운송비 부담 조건이 CFR과 동일한 조건입니다. 판매자의 책임은 물품이 선적에 실리는 때이며, 운송비는 수입항(목적항)까지 부담하게 됩니다. 'CFR+운송 보험료'입니다. 수입사 요청에 의하여 CIF 조건으로 거래가 될 때가 있습니다. 다만 보험료와 운임을 확인하여 FOB 조건과의 가격 차이 등을 면밀히 계산해야 합니다. 해상 운송에 적합한 거래 조건입니다.

CPT(Carriage Paid to: 운송비 지급 인도 조건)

판매자가 수출 통관과 함께 구매 당사자가 지정한 수입국 내 운송 대리인(포워더)에게 물품을 전달하기까지 비용과 위험을 책임지는 조건입니다. FCA 조건과 동일하게 보이지만 '수입국 내 운송 대리인(포워더)'에게 전달한다는 점에서 차이가 있습니다. 판매자는 지정된 장소까지의 운송비를 부담하고 책임은 지정된 운송인에게 물건이 이전되었을 때 이전됩니다.

CIP(Carriage and Insurance Paid to: 운송비, 보험료 지급 인도 조건)

CPT와 동일한 조건으로, 판매자가 수출 통관과 함께 구매자가 지정한 수입국 내 운송대리인(포워더)에게 물품을 전달하기까지의 위험과 비용을 책임지는 조건입니다. 'CPT+운송 보험료'입니다.

DAP(Delivered at Place: 목적지 인도 조건)

판매자가 합의된 주소로 물품을 운송하는 데 드는 비용과 위험을 부담하는 조건입니다. 물품 하역 비용은 포함되지 않습니다.

DPU(Delivered at Place Unloaded: 도착지 인도 조건)

DPU는 인코텀즈 2020에 추가된 조건입니다. 인코텀즈 2010에서 DAT(Delivered at Terminal, 터미널 인도 조건)을 대체하여 추가된 내용이며, 판매자가 합의된 지점까지 물품을 배송하는 모든 비용과 위험을 부담합니다. 해당 조건에는 물품을 내리는 하역 비용까지 포함됩니다.

DDP(Delivered Duty Paid: 관세 지급 인도 조건)

판매자가 물품을 구매자에게 운송하는 과정의 모든 비용과 위험을 감수한다는 조건입니다. 구매자에게 가장 부담이 되는 EXW와 반대로 DDP는 수출자가 가장 부담이 되는 조건입니다. 즉, 물품 포장, 적재, 출고, 선적, 승선, 하선, 내륙운송 등 수출입에 관한 제반 사항 모두를 책임지며 관세를 포함한 모든 비용을 지불하게 됩니다.

화장품의 경우 브랜드에 따라 최소 주문량과 독점에 따른 연간 수입량, 수입 조건 등이 다르고 ODM, OEM의 경우 품목에 따라 생산 최소 수량이 다릅니다.

보통 화장품 OEM, ODM 생산의 경우 일만 개를 기준으로 합니다. 마스크팩과 같은 특수한 원자재나 필름이 들어가는 경우 5만 개가 기준입니다. 5만 개를 5개씩 한 박스에 담으면 1만 개의 소포장 박스로 구성됩니다. 만약 4가지 과일 컨셉의 마스크팩을 진행한다면 20만 개를 생산의 최소 수량으로 파악합니다. 수량이 적으면 가격은 상대적으로 높아지고, 수량이 많아지면 가격은 할인됩니다.

소위 말하는 화장품 가마를 한번 돌리는 최소의 용량이 필요하기 때문에 기준 이하의 용량이나 수량은 생산이 불가능하며 부자재의 수급 또한 최소 수량을 맞춰야 합니다. 부자재 수급의 최소 수량이 큰 경우가 많습니다. 유리병이나 튜브의 경우 1만 개가 기준이 되는 경우가 많습니다.

① OEM = Original Equipment Manufacturing

주문자 위탁 생산 또는 주문자 상표 부착 생산이라고 합니다. 유통망을 구축하고 있는 주문 업체에서 생산성을 가진 제조업체에게 자사의 요구 상품을 제조하도록 위탁하여 완성된 상품을 주문자의 브랜드로 판매하는 방식입니다.

예시) 내가 가진 레시피와 성분으로 공장에 생산 위탁을 하는 방식입니다. 공장에서 설비 등의 문제로 거부될 수 있으며 적합한 제형이 아닐 경우 수정이 필요합니다.

② ODM = Original Development Manufacturing

제조업자가 생산 개발한 제품을 기술력을 바탕으로 유통업체에서 브랜드로 판매하는 방식입니다. 즉 기존의 설비와 레시피를 기반으로 진행되기에 제조업체 측에서는 OEM보다 생산 및 개발에 부담이 덜하며 자체 기술을 사용한다는 이점이 있습니다.

예시) 공장에서 가지고 있는 기존 상품을 기준으로 성분을 조금 변경하여 제품을 생산하는 방식입니다. 공장에서는 생산에 관련된 모든 내용이 준비된 상태이므로 빠른 진행이 가능합니다.

화장품과 식품을 비롯하여 국내에 유통되는 제품은 국내법에 따라 허가가 필요합니다. 유통하려는 제품에 대한 기본 자격을 갖추어야 합니다. 온라인으로 제품을 판매하려면 통신판매업 신고증을 발급받아야 합니다. 통신판매업 신고증은 시, 군, 구청에서 발급합니다. 통산 판매업 신고를 위해서는 2가지 서류가 필요합니다. 사업자 등록증과 구매 안전 서비스 이용확인증입니다. 구매 안전 서비스 이용확인증은 네이버 스마트 스토어에서 발급받을 수 있습니다. 정부 24 사이트에서 신고서를 작성한 뒤 신고하시고 발급받으시면 됩니다.

창업의

방향

STEP

전략적으로 생각하라

1

모토를
설정하라

아래는 몇 가지 유명한 명품 브랜드의 모토입니다.

WSH: "흙에서 바다로" (From the Soil To the Ocean)

Gucci: "나는 귀족이다." (I am Gucci)

Chanel: "모든 것은 스타일로 시작된다." (Fashion fades, only style remains)

Louis Vuitton: "세계를 정복하라." (Conquer the World)

Hermès: "담배가 멈추기 전까지 사랑하라." (Love until the cigarette burns
out)

Rolex: "언제나 정확하다." (A Crown for Every Achievement)

Dior: "성공의 비밀은 아름다움에 있다." (The secret of success is in beauty)

Prada: "여성이 강력하다." (Women are Strong)

Versace: "끝없는 열정과 에너지." (Endless Passion and Energy)

Cartier: "놀라운 순간, 영원한 순간." (Astonish the World, Eternal Moments)

Burberry: "항상 사랑하라." (Love always)

'WSH 위셀호프' 브랜드를 만들 때 모토 또한 고민을 많이 했습니다.

모토에 맞는 제품을 개발하고 유통해야 한다고 생각했고, 사회에 이익을 환원하는 것까지 모든 일련의 흐름이 모토 안에서 이루어져야 한다고 생각했습니다.

모토를 만드는 과정은 생각을 풀어 써 본 다음, 이를 점차 줄여나가야 합니다.

아래의 과정은 '위셀호프'의 모토를 만들기 위해 풀어서 써 내려간 모토에 대한 정의입니다.

우리의 모토는 '흙에서 바다로'입니다. 우리는 땅을 지키고 보존하여 가꾸는 지속 가능한 개발을 추구하며, 나아가 자연과 함께 사람이 어우러지는 초록색 지구를 만드는 것이 목표입니다. 초록색 지구는 나무 심기로 시작되기에 우리는 수익의 일부를 산불 지역 나무 심기와 해양 쓰레기 수거로 사회에 환원합니다. 우리는 천연의 재료와 식물성 원료를 사용합니다.

우린 동물 테스트를 반대하며 다른 생명의 고통으로 만들어진 '미(美)'는 기본에서 벗어난 것이라고 생각합니다. 우리는 스킨케어의 가장 기초가 각자 가지고 태어난 본연의 아름다움을 최대한 오랫동안 보존하고 아름답게 가꾸는 것이라고 생각합니다. 그것만으로도 우리의 피부는 더욱 빛이 날 수 있기 때문입니다. 우리는 플라스틱 최소화 정책을 실행하고 있습니다. 우리는 단순한 화장품 브랜드가 아닙니다. 우리는 나와 당신이 함께 숨 쉬고 살아갈 수 있는 깨끗한 세상으로의 시작점입니다. 당신의 소비에 가치를 더합니다.

이러한 브랜드의 모토는 브랜드의 정체성과 가치를 강조하면서도 소비자들에게 강력한 메시지를 전달합니다. 브랜드의 모토는 브랜드 이미지와 브랜드 경험을 강화하는 데 중요한 역할을 합니다.

브랜드 창업은 새로운 제품이나 서비스를 시장에 소개하고 고유한 아이덴티티를 구축하는 과정입니다. 브랜드 창업은 기업이나 제품이 고유하게 인식되는 존재로서 경쟁력을 갖추고, 소비자들에게 긍정적인 인상을 심어주기 위해 필수적인 단계입니다. 브랜드 창업은 기업의 목표, 가치, 이미지, 고객과의 관계 등을 정의하고 이를 시장에 전달하는 것을 포함합니다.

브랜드 창업의 중요한 단계 중 하나는 모토 설정입니다. 모토는 브랜드의 핵심 가치와 메시지를 간결하고 강력하게 전달하는 문구로서, 소비자들에게 브랜드의 정체성과 차별성을 인식시키는 역할을 합니다. 모토 설정은 브랜드의 미션, 비전, 가치, 제품 또는 서비스의 특징 등을 포함하여 브랜드를 대표하는 핵심 메시지를 구체적으로 정립하는 과정입니다.

1) 브랜드 창업과 모토 설정에 관한 방법 및 고려해야 할 사항

① 브랜드의 목표와 가치 파악

브랜드 창업에 앞서 기업이나 제품의 목표와 가치를 철저히 파악해야 합니다. 브랜드의 주요 가치와 메시지를 정립함에 있어서 이러한 목표와 가치는 핵심적인 역할을 합니다.

② 타겟 시장과 고객 조사

브랜드의 모토는 타겟 고객에게 전달되는 메시지이므로, 해당 브랜드의 대상 시장과 고객들을 철저히 조사하고 이해하는 것이 중요합니다. 고객들의 니즈와 욕구를 파악하여 브랜드의 메시지가 고객들에게 호소력 있고 유의미한 것인가를 확인해야 합니다.

③ 간결하고 기억에 남는 표현

모토는 간결하면서도 기억에 남는 표현이어야 합니다. 짧고 강력한 문구를 사용하여 브랜드의 가치와 메시지를 간결하게 전달하는 것이 중요합니다.

④ 차별화

모토는 브랜드가 타사와 차별화되는 요소를 담고 있어야 합니다. 브랜드의 고유한 특징과 장점을 강조하는 메시지가 모토에 포함되어야 합니다.

⑤ 브랜드의 비전과 미래 지향성

모토는 브랜드의 비전과 미래 지향성을 반영해야 합니다. 브랜드가 향후 어떤 방향으로 나아갈 것인지를 전달하는 메시지가 모토에 포함되어야 합니다.

⑥ 테스트와 수정

모토를 설정한 후에는 테스트와 수정을 거쳐 최종적으로 브랜드에 적합한 모토를 찾아야 합니다. 소비자들의 피드백과 반응을 수집하여 모토의 효과를 확인하고 필요한 경우, 모토를 수정하여 완성도를 높여야 합니다. 브랜드 창업과 모토 설정은 브랜드의 성공과 시장에서의 경쟁력을 결정하는 중요한 요소입니다. 브랜드의 핵심 가치와 메시지를 효과적으로 전달하는 모토를 설정함으로써 소비자에게 강한 인상을 주고 브랜드의 고유의 독창성을 확립할 수 있습니다. 브랜드 창업과 모토 설정은 브랜드의 성공적인 시작을 위한 핵심 작업으로, 정확하고 철저한 계획과 고려가 필요합니다.

2
브랜딩이란
무엇인가?

1) 1등 제품이 있는가? 한 분야의 최고처럼 보이는가?

타겟 시장을 좁힐수록 시장은 커집니다. 작은 분야에서 사업을 하더라도 2등 제품 10개보다 1등 제품이 있는 브랜드 1개를 키워야 합니다. 1등 브랜드 혹은 제품은 특정 분야의 전문 업체, 선도하는 제품이라는 인식을 심어 주게 됩니다. 1등 제품은 작은 시장에서 절대적인 위치를 선점하게 됩니다. 즉 고객들의 입소문을 타게 되며 바이럴 마케팅이 시작됩니다.

예시) '위셀호프'는 스포츠 선크림 1등, 즉 물과 땀에 강한 워터프루프 기능과 산호 보호 기능을 수행하는 '딥오션 선스크린'으로 서핑 매장, 서퍼, 다이버, 스쿠버를 상대로 마케팅을 진행하여 바이럴을 수행하고 있습니다.

2) 소비자에게 특정 분야의 제품이라는 인식을 심을 수 있는가?

유명 인사가 좋아하는 제품이라는 인식을 심어야 합니다. 사람들은 사회적 지위와 소속감을 자랑하고 싶은 마음을 간접적으로 표현합니다. 유명 인사가 좋아한다는 제품을 사용함으로써 후광 효과를 보려 하는 것입니다.

1인 기업, 1천만 원으로 충분하다

해당 시장을 잘 아는 사람에게 한번 물어보고 해당 시장에서 영향력이 있는 인플루언서, 교육자 등에게 제품을 제공하여 해당 사람들의 주변인에게 제품을 노출 시키고 관심을 끌어야 합니다. 그 이후 습관 구매와 같이 제품을 써 본 사람은 재구매를 하게 됩니다. 또한 재구매를 높이기 위해 쿠폰 등을 발행하는 것이 필요합니다.

예시) '위셀호프'의 제품은 유명 연예인 광고를 하지 않습니다. 충분한 예산이 없기도 하고 대중적인 시장으로 진출하는 것이 목표가 아니기 때문입니다. '위셀호프'는 유명 연예인이 아닌 실제 스쿠버, 서퍼, 다이버에게 연락하여 제품을 홍보하고 협업을 제안했습니다. 해당 분야에서 팔로워를 가진 사람들이 제품을 사용하면 큰 홍보 효과를 낼 수 있습니다.

3) 공감을 끌어낼 수 있는가?

아리스토텔레스는 말했습니다. "마음에 호소하는 것은 머리에 호소하는 것보다 강하다. 머리에 호소하면 사람들의 고개를 끄떡이게 하지만 마음에 호소하면 당장 움직이게 만든다."

이처럼 시대의 철학을 담았다는 인식을 심으려면 공감을 불러와야 합니다. 착한 기업이 강한 기업이며 오랫동안 사랑받습니다. 좋은 이미지는 결코 쉽게 만들어지지 않습니다. 꾸준히 이익을 사회에 환원해야 하며, 환경에 관심을 쏟아야 합니다. 사람들은 이제 사치의 럭셔리가 아니라 의식과 철학의 럭셔리를 찾습니다.

예시) '위셀호프'는 환경과 인간을 모두 생각하는 사회 환원 시스템을 도입하였습니다. 똑똑한 소비자는 착한 기업의 제품을 구매합니다. 기업의 사회적 책임을 다하기 위해 기업들이 앞다투어 ESG 경영[iv] 시스템을 만들고 사회 환원을 하는 이유입니다. '위셀호프' 또한 ESG 경영 평가를 받았습니다.

---

iv 환경(Environmental), 사회(Social), 지배 구조(Governance)의 영문 첫 글자를 조합한 단어로, 기업 경영에서 지속 가능성을 달성하기 위한 3가지 핵심 요소

3

혁신은
무엇으로 시작되는가?

1) 체크 리스트 만들기

매일 책상에 두고 체크를 하면서 스스로를 관리해야 합니다. 스스로 정한 규칙을 매일매일 확인하고 실천하면 어제와 다른 오늘이, 오늘과 다른 내일이 다가옵니다.

① 매일 체크 리스트 표

일간 체크 리스트는 자유롭게 작성하여 체크를 합니다. 하루 일과를 한눈에 볼 수 있게 만드는 것이 중요합니다. 정해진 틀은 없으나 프린트하여 사용하기에는 15일 간격으로 만들고 프린트하여 책상 잘 보이는 곳에 체크하는 것이 편리합니다.

예시)

날짜	발주	입금	출금	미팅	수출	수입	방송	품목	수량
10.30	면세	950만	53만	TK	9천불	1천불	23시	선크림	3500
10.31	마트	860만	290만	RU	0	0	23시	클렌저	5000

② 연간 체크 리스트 표

연간 체크 리스트는 반드시 이뤄내야 하는 3가지 정도의 일정을 만드는 것입니다. 하늘이 두 쪽이 나도 이루겠다는 필수적인 일을 설정해야 합니다. 연간 체크 리스트를 기반으로 일간 체크 리스트를 수정하여 사용합니다. 연간 체크 리스트와 일간 체크 리스트가 만들어지면 계획에 따라 주간 리스트를 정하여 일간 리스트 옆에 메모합니다.

연간 리스트는 연초에 작성하여 잘 보이는 곳에 붙여 놓습니다.

예시)

날짜	필수1	필수2	필수3
2024.01	인도 샘플 수출	A사 협업 제안	선크림 색상 확정
2024.02	터키 초도 수출	B사 협업 제안	선크림 테스트
2024.03	호주 샘풀 수출	C사 협업 제안	선크림 생산

2) 변화와 혁신의 질문 및 예시

누구에게 '다름'을 인정받을 것인가?

타겟 고객에게 '다름'을 인정받는 것이 중요합니다. 타겟 고객에게 인정을 받아야 그 시장에 안착할 수 있습니다.

예시) '위셀호프'는 다이버와 스쿠버, 서퍼들에게 인정받기 위해 노력합니다. 그들이 더 편하게 바닷속과 바다에서 스포츠를 즐길 수 있게 효과적인 제품을 개발합니다.

'제품'의 차별에서 '인식'의 차별

예시) 철학자 프루스트는 "진정한 탐험의 여정은 새로운 경치를 찾는 데 있는 것이 아니라, 새로운 시각으로 보는 것이다."라고 말했습니다. 'Lomo 사진기' 역시 흐릿하게 찍히는 독특한 결과물로 하나의 팬덤을 형성했습니다.

① 코코 샤넬

"대체할 수 없는 그 무엇이 되려면 끊임없이 차별화해야 한다."

경쟁하려 하지 말고, 차별화하여 독보적인 일인자가 되어야 합니다.

예시) 작은 시장에서 1등을 하는 제품을 만들어 내어야 합니다. 독보적 1등을 만들기 위해서 타 브랜드와는 차이가 있는 무엇인가를 만들어 내어야 합니다.

② 스티브 잡스

"이건 '아이팟'입니다. 그런데 전화도 되고 인터넷도 되죠. 3개가 별도의 기계가 아니고, 하나의 기계입니다. 우리는 이것을 '아이폰'이라 부를 겁니다."

"'아이팟' 이 작고 놀라운 기계에 노래 1,000곡이 들어갑니다. 그런데 요게 호주머니에 쏙 들어가네요."

"이게 '아이맥'이라는 겁니다. 통째로 투명하지요. 여러분이 속을 들여다볼 수 있다니까요. 멋지지 않습니까?"

③ 보랏빛 소

　무엇인가 다른 특별함이 있어야 합니다. 내 브랜드의 특별함은 무엇인가? 내 제품의 다른 점은 무엇인가? 고민해 봐야 합니다.

　예시) '위셀호프'는 다이버, 서퍼 등 해양 스포츠와 자전거, 축구 등 육상 스포츠에 적합한 제품입니다. 선크림과 다른 기능을 넣어야 했습니다. 수상 스포츠인이 바닷속 환경을 고려하기에 워터프루프 산호 보호 선크림으로 개발을 하고 무기자차 로 설정하여 화학 성분이 아닌 물리적 방법의 자외선 차단을 기본으로 하였습니다.

나만의 '무엇'을 만드는 차별화 로드맵

　'구매를 결정하는 방아쇠는 무엇인가?' 장점을 강화하는 것에 대한 고민과 변혁이 필요합니다. 가격, 가성비, 디자인, 무엇이 되었든 간에 구매를 실현시키는 트리거가 필요합니다.

① 최소량 법칙

　구매에는 필요조건과 충분조건이 있습니다. 놀랍게도 사람들은 대부분 아주 사소한 근거로 의사 결정을 합니다. '조금만' 달라도 시장을 지배할 수 있습니다.

---

v　피부 속에서 자외선을 분해시키는 유기자차와는 달리 피부에 얇은 막을 씌워 자외선을 튕겨내는 물리적 자외선 차단 방식

1인 기업, 1천만 원으로 충분하다

② 비교와 차별점

POP(Point of Parity) 유사점/POD(Point of Differnece) 차별점

예시)

내 제품	비교제품	POP 유사점	POD 차별점

③ 가격 경쟁력

　가격 경쟁력을 동력으로 쓰려면 저가격(Low price)에 제공하는 능력이나 가성비(Value for money)를 높일 수 있는 능력이 있어야 합니다. 품질 경쟁력을 동력으로 쓰려면 독특한 기능이나 탁월한 품질을 제공하는 능력, 또는 궁극적으로 뛰어난 명성을 창출하는 능력이 요구됩니다. 저가격 전략은 가장 손쉽게 선택할 수 있는 전략처럼 보입니다. 안 팔리면 가격을 낮추면 됩니다. 그러나 진입 장벽이 낮은 만큼 성공하기도 어려운 전략입니다. 비싸서 못 판다는 말은 정답이 아닙니다. 고객에게 '기꺼이 돈을 지불할 만한 가치'를 제공하지 못했을 뿐입니다.

④ 고객의 불편함

　고객의 입장에서 생각해 보세요. 경쟁 상품의 후기 중에서 평점이 낮은 후기를 읽고 우리 제품에 적용해 보세요. 고객의 후기 중에서 중요한 포인

트를 찾을 수 있습니다. 자사 제품의 후기 중 용량이 컸으면 좋겠다는 리뷰가 있었습니다. 해양 스포츠를 즐기다 보면 평소보다 선크림을 많이 사용하기 때문입니다. 인도 바이어도 대용량 선크림을 원했고, 국내 소비자도 대용량을 원하고 있으니 대용량 선크림 생산으로 차기 생산 방향을 수정했습니다.

⑤ 한 사람의 마음을 흔드는 '작은' 기능

남다른 기능이라도 금세 모방을 당합니다. 다만 '한발 앞서' 탑재하는 것은 차별적 우위를 차지하는 좋은 방법입니다.

1인 기업, 1천만 원으로 충분하다

4
리더십이란 무엇인가?

1) 경영 전략

경영 비전

회사가 이루고자 하는 추상적인 목표가 있다 한들, 그 목표에 무작정 돌진한다고 해서 목표를 달성할 수 없습니다. 달리기 전에 거시적인 관점에서 경쟁자들을 상대할 방책을 검토해야 합니다. 실행할 것과 실행하지 않을 것을 분명히 판단합니다. 이러한 분석을 경영 전략이라고 합니다.

중국의 유명한 병법가 손자는 '전략이 많으면 이기고 전략이 적으면 진다.'라고 했습니다. 실전에 들어가기 전에 치밀한 전략을 짜는 쪽이 이깁니다. 요즘의 소비자는 "난 물건이 아니라 만족감을 산다." 즉 '효용과 만족'에 지갑을 연다고 합니다.

리더십의 중요성과 역할

리더십은 조직 내에서 비전과 가치를 제시하고 구성원들을 동기화하여 공통 목표를 달성하기 위한 선봉장의 역할을 의미합니다. 리더십은 단순한 명령과 지시가 아닌, 올바른 방향을 제시하고 구성원들의 역량을 개발하며 조직의 성과를 촉진하는 과정을 포함합니다. 목표를 향하여 구성원들을 똘똘 뭉치게 만드는 힘, 그것이 바로 리더십입니다.

비전 제시

리더는 조직의 미래를 구상하고 그에 맞는 비전을 제시함으로써 구성원들의 역할과 목표를 정립합니다. 비전은 조직을 향한 공통된 목표를 제시하여 구성원들의 동기를 높이고 긍정적인 에너지를 고무시킵니다. 눈앞에 청신호를 켜 줌으로써 구성원들이 함께 노를 저어 배가 앞으로 나아가듯, 구성원들에게 눈앞에 보이는 목표를 실현 가능하도록 비전을 제시하여야 사람들이 하나로 뭉치게 됩니다.

올바른 방향 제시

리더는 조직의 목표를 달성하기 위한 올바른 방향을 제시하고 이를 실현할 수 있는 전략과 계획을 개발합니다. 이를 통해 조직 내에서 일하는 구성원들이 통일된 목표를 향해 노력할 수 있도록 여건을 만듭니다.

동기 부여

리더는 구성원들의 동기와 열정을 부여하기 위해 적절한 인센티브와 보상 체계를 구축하며, 개인적인 성취감과 조직적인 성과를 결합시키는 방법을 모색합니다. 목표를 이루었을 때 가질 수 있는 이익에 대한 달콤함은 구성원들을 하나로 모이게 하고 힘을 끌어 올려 함께 나아갈 수 있도록 하는 원동력이 됩니다. 목표 실현 후의 모습이 동기 부여가 되며 확실한 보상은 사람의 마음을 움직이는 가장 확실한 방법이 됩니다.

의사소통

효과적인 의사소통은 리더십의 핵심 요소입니다. 리더는 구성원들에게 목표와 방향을 명확하게 전달하고, 구성원들의 의견을 듣고 존중하여 조직 내 의사 결정과 문제 해결을 촉진합니다. 눈과 귀를 열어 이야기를 듣고 상황을 봐야 합니다. 오늘의 작은 문제를 빨리 수정해야 내일 문제가 커지는 것을 막을 수 있습니다. 조직의 구성원들 간에 발생하는 내부의 문제 또한 적극적으로 개입하여 해결하는 것이 조직을 썩지 않게 만드는 중요한 일입니다.

개인 및 집단 발전

리더는 구성원들의 역량을 계발하고 성장할 수 있는 환경을 조성합니다. 개인적인 성장과 팀의 발전을 지원하며 조직 전체의 능력 향상을 목표로 합니다. 개인의 발전과 조직의 발전은 함께 이루어집니다. 내가 발전하면 그만큼 회사도 발전하는 것입니다.

경영 전략의 중요성과 요소

경영 전략은 조직이 목표를 달성하고 지속 가능한 성장을 이루기 위해 채택하는 방향과 계획을 정의하는 과정입니다. 경영 전략은 환경 변화와 시장 동향을 고려하여 조직의 자원과 능력을 최대한 활용하게 합니다. 나아가 경쟁 우위를 구축하고 경쟁자들과의 차별화를 이루는 역할을 합니다. 경영 전략의 주요 요소는 다음과 같습니다

① 비전과 목표 설정

조직의 비전과 목표를 정립하고 이를 달성하기 위한 계획을 수립합니다. 비전과 목표는 조직의 미래를 결정하며 경영 전략은 이를 실현하기 위한 도구로 작용합니다.

② 시장 분석과 경쟁력 분석

시장을 분석하고 경쟁자들의 강점과 약점을 파악하여 조직의 경쟁력을 분석합니다. 이를 통해 조직은 자신의 장점을 부각하고 경쟁자들과 차별화된 전략을 수립할 수 있습니다. 시장에서 필요로 하는 제품의 특징과 기능을 파악하고 우리 제품에 적용해야 합니다.

③ 목표 시장 및 타겟 고객 정의

어떤 시장과 고객을 겨냥할 것인지를 결정합니다. 목표 시장과 타겟 고객을 정확히 정의하고 그들의 니즈와 요구를 파악하여 제품과 서비스를 개발합니다. 작은 시장의 고객을 설정하고 고객의 니즈를 분석하여 제품을 제작하는 것이 빠르게 시장에 스며드는 방법입니다.

1인 기업, 1천만 원으로 충분하다

④ 포지셔닝 및 브랜딩

조직의 브랜드 포지션을 결정하고 이를 통해 효과적으로 시장에 진입하는 방법을 제시합니다. 브랜드의 고유한 가치와 메시지를 강조하여 타겟 고객들의 관심을 끌어들입니다. 작은 시장의 목표 고객들을 만족시킬 수 있는 제품 포지셔닝을 고민해야 합니다. 가격, 기능, A/S 등 여러 각도에서 고민하고 브랜딩을 진행해야 합니다.

⑤ 자원 할당과 우선순위 설정

조직의 자원을 어떻게 효율적으로 할당할 것인지를 결정하며, 우선순위를 설정하여 핵심 프로젝트와 활동에 집중합니다. 우선순위는 매우 중요합니다. 마감 일자의 차이도 있고, 일의 진행 순서에도 차이가 있기 때문입니다. 표를 만들어 우선순위를 정하고 일을 분배하여 빠르고 정확하게 일을 해야 합니다.

⑥ 변화 관리

조직이 환경 변화와 시장 변화에 어떻게 대응할 것인지를 고려합니다. 유연한 전략을 세운다면 조직은 변화에 대해 빠른 대응과 조정을 할 수 있게 됩니다. 좋은 방향 혹은 안 좋은 방향으로 시장이 변하여도 시장에 대응할 수 있는 시스템을 만들어 놓아야 합니다. 트렌드는 옮겨 가게 되어 있습니다. 현재의 트렌드만을 적용하여 제품을 구상할 경우, 트렌드가 옮겨 가면 브랜드가 사장 될 수 있으므로 브랜드 고유의 모토와 길이 필요합니다.

⑦ 성과 평가와 개선

목표 달성을 평가하고 그에 따른 조치 방법을 결정합니다. 성과 지표를 설정한 뒤 주기적인 평가를 통해 전략의 효과를 모니터링하고 개선할 수 있습니다.

2) 리더십과 경영 전략의 통합

리더십과 경영 전략은 긴밀하게 연결되어 조직의 성공을 이끄는 데 기여합니다. 리더는 조직의 경영 전략을 개발하고 실행하는 과정에서 중요한 역할을 수행합니다. 리더는 조직 내에서 전략을 이해하고 받아들이도록 구성원들을 독려하며, 목표 달성을 위한 방향을 제시합니다. 또한 리더는 조직의 성과를 평가하고 필요한 개선 사항을 식별하여 전략을 조정하고 발전시키는 데 참여합니다.

리더십과 경영 전략의 효과적인 통합은 조직의 지속 가능한 성장과 경쟁력을 확보하는 데 중요한 역할을 합니다. 리더는 비전과 목표를 통해 조직을 이끄는 동시에 경영 전략을 개발하고 실행하여 조직의 미래를 디자인합니다. 이를 통해 조직은 환경 변화에 빠르게 대응하고 경쟁 우위를 유지할 수 있습니다. 더불어, 구성원들은 리더의 올바른 리더십과 함께 정확한 경영 전략에 따라 협력하며 조직의 성과를 높일 수 있습니다.

결론적으로, 리더십과 경영 전략은 조직의 성공을 위한 필수적인 도구입니다. 올바른 리더십은 조직 내에서 비전과 가치를 제시하고 구성원들을 동기화시키며, 경영 전략은 조직이 목표를 달성하고 경쟁력을 확보하는 데 도움을 줍니다. 두 요소의 효과적인 통합은 조직의 성장과 발전을 지원하며, 경쟁 환경에서의 성공을 가능하게 합니다.

예시) '위셀호프'

비전과 목표 설정

인간과 환경 모두를 위한 화장품을 개발하여 지속 가능한 개발을 통해 지구 환경을 보호한다. [From the soil To the ocean]

시장 분석과 경쟁력 분석

환경보호 전략은 특별한 것이 아니라 많은 기업에서 시행하고 있는 전략입니다. 다만 본 전략을 제품 및 브랜드와 어떻게 연결해야 적합할지에 대해 고민했습니다. 우리는 환경 중에서도 토양과 바다에 중점을 둔 모토를 지녔으니 토양은 산불 지역 나무 심기로 환원하고, 바다는 해양 쓰레기 수거 사업을 통하여 사회 환원하는 프로젝트를 진행하기로 했습니다. 또한 제품은 모토에 합당한 특성을 지녀야 했기에 산호 보호 선크림을 개발했고, 제품의 특성상 플라스틱 튜브 용기가 반드시 필요한 것이 아니라면 유리 용기를 사용하였습니다.

목표 시장 및 타겟 고객 정의

우리의 타겟 고객 및 시장은 아래의 조건을 기준으로 선정했습니다

① 환경에 관심이 있거나 환경 보호 활동을 하는 사람

② 해양 스포츠인 서핑, 다이빙, 물놀이에서 워터프루프 기능이 필요한 사람

③ 육상 스포츠인 자전거, 등산, 런닝을 하는 사람 중에서 눈 시림에 예민한 사람

④ 여행, 캠핑, 작업, 훈련 등 외부 활동이 많고 땀을 많이 흘리는 사람

포지셔닝 및 브랜딩

제품 포지션을 환경에 대한 고민과 피부 고민을 함께 가진 외향적인 사람들로 특정했습니다. 그리하여 산호 보호 선크림, 무기자차, 눈 시림 없음, 여행 4가지 키워드를 중심으로 제품을 포지셔닝 했습니다.

먼저 SNS와 블로그를 활용하여 해양 스포츠를 즐기는 사람들에게 DM을 발송하고 지속적인 체험단 캠페인을 진행하여 노출 빈도를 높이는 방법을 선택했습니다. 또한 같은 취미를 가진 사람들에게 접촉하여 하나의 팬덤을 형성하였습니다.

자원 할당과 우선순위 설정

지속적이고 꾸준한 체험단, 블로거, 인플루언서 광고를 통해 SNS 광고 비용을 집행합니다. 국내의 인플루언서와 해외 인플루언서를 동시에 활용하여 수출 증진과 국내 시장에서의 포지션을 공고히 하고 있습니다.

1인 기업, 1천만 원으로 충분하다

매년 2~3가지 제품을 런칭하고 있으며 신제품은 제품 라인에 맞는 특성을 가집니다. 딥오션 라인은 스포츠 라인이기에 신제품 또한 스포츠에 적합한 제품으로 개발하여 출시합니다. 제품 라인 중 판매가 저조한 제품은 과감하게 리뉴얼하거나 단종시키고 브랜드에 적합한 신제품을 런칭하는 것도 좋은 방법입니다.

변화 관리

현재 인도, 호주, 터키 시장으로의 진출을 계획하는 등 해외에서의 마케팅 활동에 집중하고 있습니다. 한류의 기세를 타고 최대의 효과를 볼 수 있는 시기이므로 해외 마케팅에 집중한 것입니다.

사회의 전체적인 기류는 환경과 인간 모두를 위한 제품 및 브랜드를 운영하는 것이기에 ESG 경영이 중요한 시점입니다. 실제로 대기업 및 해외 유수의 매장과 계약을 위해서는 ESG 경영이 필수입니다.

성과 평가와 개선

계획은 일일, 주간, 월간, 분기, 연간 계획을 각각 설정해야 합니다. 평가를 통하여 부족한 상황을 파악하고 추가하거나 미달성한 목표가 있다면 원인을 파악하고 개선해야 합니다. 표를 만들어 매일 체크하는 습관이 필요합니다. 타임 테이블을 만들어 사용하는 것 또한 시간을 효과적으로 사용하기 위해 매우 좋은 방법입니다.

실적 평가

히트 상품의 특성은 폭발적 매출로 시장을 장악한 후 오랜 기간 지속적으로 소비자들의 사랑을 받는다는 것입니다. 또한 회사 이름보다 높은 인지도를 가지며, 브랜드명이 고유명사가 되는 특성이 있습니다. 대부분의 브랜드는 상위 20%의 히트 상품이 이끌어 나갑니다.

하위 제품은 과감하게 단종하고 상위 제품과 연계할 수 있는 신제품을 런칭하는 것이 경영에 도움이 됩니다. 하위 제품의 경우, 창고 비용과 생산 비용 등 많은 추가 비용이 발생합니다. 재고 문제와 유통 기한이 있는 화장품의 특성상 빠르게 결정해야 합니다.

상위 20%	히트 상품	판매 강화
	판매 정체, 하락 상품	판매 방향 재설정
중간 60%	판매 정체 상품	원인 규명
	매출 하락 상품	생산 중단
	과잉 사양 제품	제품 리뉴얼
하위 20%	실패작	생산 중단

3) 리더십과 효과적인 의사 결정

리더란 사람과 사업을 이끌고 앞으로 나가는 사람을 지칭합니다. 다른 사람을 성공의 방향으로 이끄는 사람이며 자신이 이끄는 결과에 대해 책임을 지는 사람입니다. 실력은 공부를 혼자서 열심히 하면 얻을 수 있는 것이지만, 리더의 능력은 자신의 꿈을 지지하는 사람들이 함께 모여 문제를 풀 수 있도록 만드는 힘입니다. 따라서 자기를 둘러싼 사람의 마음을 얻어야만 합니다.

리더십은 사람을 이끌어 가는 힘이며, 이는 권력이나 재물과 같은 힘이 아니라 스스로 삼가 공경하는 마음의 힘을 말합니다.

효과적인 의사 결정과 그 중요성

효과적인 의사 결정은 리더가 조직의 문제를 분석하고 해결하기 위한 핵심 능력입니다. 조직 내에서 다양한 의사 결정이 필요한데, 이를 효과적으로 수행하기 위해서는 다음과 같은 요소들이 중요합니다

① 정보 수집과 분석

효과적인 의사 결정은 충분한 정보를 수집하고 분석하는 과정을 필요로 합니다. 리더는 신뢰할 수 있는 정보를 수집하고 해당 정보를 분석하여 현재 상황을 파악합니다. 정보는 제품 후기, Q&A 등 내부적인 것과 환율, 정책 변화 등의 외부적 요인이 있습니다.

② 목표 설정

의사 결정은 목표와 우선순위를 설정하는 과정에서 시작됩니다. 리더는 목표를 정확하게 정의하고 이를 달성하기 위한 계획을 세우는 데 주력합니다. 혼자 결정하는 일이 많은 1인 기업가는 주변에서 때때로 조언을 얻어야

합니다. 친구, 선후배, 부모님, 지인 등 주변인의 이야기에 귀를 기울여야
합니다.

③ 대안 고려와 평가

여러 가지 대안을 고려하고 각 대안의 장단점을 분석하여 최적의 결정을
내리는 것이 중요합니다. 리더는 가능한 모든 대안을 평가하고 가장 적합
한 대안을 선택합니다. 최종 결정에는 책임이 따릅니다. 신중함과 꼼꼼함
은 리더의 자질 중 하나입니다.

④ 평가와 개선

의사 결정 이후에도 리더는 결정의 결과를 지속적으로 모니터링하고 필
요한 경우 조정하며 개선해 나갑니다. 이를 통해 조직의 목표 달성과 성과
향상을 도모합니다.

⑤ 리더십과 협의

효과적인 의사 결정은 단독으로 이루어지는 것이 아닙니다. 리더는 조직
내의 구성원들과 협의하고 의견을 수렴하여 조직 전체의 의사 결정에 참여
시킵니다.

4) 리더십과 효과적인 의사 결정의 상호작용

리더십과 효과적인 의사 결정은 상호작용하여 조직의 성과와 성공을 도모합니다. 효과적인 리더십은 팀의 의견을 존중하고 구성원들의 참여를 장려하여 다양한 의견과 아이디어를 수렴합니다. 이를 통해 효과적인 의사 결정이 이루어지며 조직의 성과와 효율성을 극대화할 수 있습니다.

또한, 효과적인 의사 결정은 리더십의 비전과 목표를 실현하기 위한 도구로 작용합니다. 리더는 목표를 이루기 위한 전략과 계획을 수립하고 의사 결정을 통해 조직의 미래를 디자인합니다. 이를 통해 조직은 경쟁 환경에서 성공적으로 지속 가능한 성장과 발전을 이룰 수 있습니다.

마지막으로, 리더십과 의사 결정은 조직 내의 문화와 가치관을 형성합니다. 리더의 의사 결정 방식과 태도는 조직 내의 구성원들에게 영향을 미치며, 조직의 의사 결정 문화를 형성하고 강화합니다. 따라서 리더십과 의사 결정은 조직의 미래를 결정짓는 중요한 요소로서 긴밀하게 연결되어 있습니다.

5

협상은
어떻게 하는가?

1) 협상 전 체크 사항

어떤 상황에서도 평정심을 유지하라

감정에 휘둘리면 협상을 망칩니다. 사업 제안 후 미팅에서 나올 수 있는 작은 기업, 소규모 브랜드가 받을 수 있는 상황에 대한 준비가 필요합니다. 때때로 발생하는 매출에 대한 질문이나 사업의 직접적인 질문을 받아도 얼굴 붉히지 말고 의연하게 대처하는 자세가 필요합니다.

3초의 시간이라도 반드시 준비하고 말하라

논리가 없으면 설득력이 없습니다. 협상 전 자신의 생각을 정리하는 것은 상당히 중요합니다. 예상 질문을 작성해 보고 협상에 들어가는 것은 필수입니다. 입장을 바꿔서 연습해 보는 것이 필요합니다. 내가 상대방 입장이라면 이런 질문을 할 것 같다는 사전 연습이 필요합니다.

협상의 결정권을 쥐고 있는 의사 결정자를 찾아라

협상에 들어가면 상대방 기업의 실무 담당자와 결정권자를 만나게 됩니다. 결정권자가 없다면 실무자를 설득하여 마음을 얻어야 합니다. 또한 실무자가 마음에 든다고 해도 결정권자가 승인하지 않을 수 있음을 충분히 인식해야 합니다. 실무자가 결정권자에게 보고할 때 결정권자가 "좋아, 해보자."라는 회신을 얻을 수 있도록 준비해야 합니다.

목표에 집중하라

곁가지에 대한 논쟁을 멈춰야 합니다. 나의 의견과 우리 제품의 특성이 상대방의 입장에서 적합하지 않을 수 있습니다. 이럴 경우에는 목표에서 벗어난 이야기를 많이 하게 됩니다. 협상의 목표에 적합한 의논을 하고 이후에 곁가지 질문에 대한 단계로 넘어갑니다.

인간적으로 소통하라

사람과의 관계는 협상의 성공 여부를 결정짓는 가장 큰 부분입니다. 결국 사람이 하는 일입니다. 의지를 보이고 상황을 만들어 현재 우리 제품이 선택받지 못하여 협상이 잘 안됐다 해도 차기 제품을 제작할 수 있는 좋은 기회로 만들 생각을 해야 합니다. 해당 업체에서 필요로 하는 제품을 만들어 런칭하면 다시 기회가 생기게 됩니다. 상대방과의 협상이 성사되지 않았더라도 수용하고 배우는 자세로 질문해야 합니다.

2) 핵심 전략 키워드

오늘의 협상 목표를 세워라

요약표 프린트, PPT 등으로 준비합니다. 연습을 통하여 협상 내용이 머릿속에 인식되어 막힘없이 설명이 가능하도록 상대방 회사 상황을 분석해야 합니다.

상대의 머릿속 그림을 그려라

차후 상대방이 필요한 제품을 생산하여 납품할 수 있다는, 그만큼 유연하고 믿음직한 업무 진행이 가능하다는 인식을 심어야 합니다.

상대방의 감정에 신경 써라

편안한 말투와 상냥한 표현을 사용하고, 협상 테이블에서 상대방의 성별과 나이에 상관없이 극존칭을 사용해야 합니다.

모든 상황은 제각기 다르다는 것을 인식하라

협상의 흐름은 물과 같아 내가 원하는 방향으로 흐르지 않을 수 있음을 알고 있어야 합니다. 설명하는 도중 질문이 들어온다면 설명 도중에 대답을 하게 됩니다. 이럴 경우에도 차분하게 대답하고 설명을 이어 나가야 합니다.

점진적으로 접근하라

이번 협상이 안 되어도 다음을 위한 기회를 만들어야 합니다. 상대방이 필요로 하는 것이 정확하게 무엇인지 파악하는 일이 우선입니다.

가치가 다른 대상을 교환하라

우리의 목표가 제품 납품이라면 상대방의 목표는 경쟁사와의 관계에서 우위를 차지하는 것임을 알아야 합니다. 즉 우리 제품을 상대방이 원하는 제품으로 리뉴얼 하거나 새로운 제품을 만들어 납품한다면, 서로 만족할 수 있는 관계로 발전합니다.

상대방이 따르는 표준을 활용하라

상대방 회사의 절차를 철저하게 따르고 준비해야 합니다. 절차상 필요한 모든 것을 적극적으로 지원해야 합니다.

절대 거짓말을 하지 마라

거짓말은 결국 신용을 잃게 만들어 계약 파기와 법적 책임을 불러옵니다. 신용을 잃으면 사업에서는 모든 것을 잃는 것임을 알아야 합니다.

의사소통에 만전을 기하라

차분하고 신중하게 이야기하고 철저하게 자료 준비를 하세요.

숨겨진 걸림돌을 찾아라

경쟁 제품에 대한 내용과 현재 상대방의 사업 승인에 방해가 되는 요소를 확인해야 합니다. 우리 브랜드가 유명하지 않은 소규모라면 가격 경쟁력, 마케팅 지원 방법 등을 적극적으로 활용하여 협업하겠다고 설득해야 합니다.

차이를 인정하라

상대방의 입장과 나의 입장은 분명 차이가 있습니다. 사실을 그대로 받아들이고 인정해야 출발이 됩니다. 비굴해지라는 말이 아닙니다. 당당하게 이야기하되 상대방의 규모를 인정해야 합니다.

협상에 필요한 모든 것을 목록으로 만들어라

목록을 만들고 표를 제작하여 협상 시, 상대방과 이를 같이 보면서 이야기하면 쉽게 상대방의 제품 및 판매 상황을 파악할 수 있습니다. 상대방의 매장에서 판매되는 같은 제품군을 모두 조사하고 해당 제품의 온라인, 오프라인에서의 마케팅 상황도 파악해야 합니다.

상대방에게 없는 것이 무엇인지, 필요한 것이 무엇인지 파악해야 합니다. 지피지기면 백전백승임을 꼭 기억하세요.

특히나 대기업과의 거래에서는 대기업에 필요한 내용을 모두 파악하고 있어야 하며 상대방의 가려운 곳을 긁어줄 만한 제안을 해야 합니다.

3) 협상 태도

끈기가 중요합니다. 절대 포기하면 안 됩니다. 시간을 들여서 상대방에 대한 정보를 꼼꼼하게 파악해야 합니다.

협상에 필요한 도구는 존중, 경청, 역할 전환, 명확한 의사소통, 목표 지향, 감정 배제입니다.

잠시 스쳐 가는 인연이라도 그 사람에게 정성을 들이면 장기적인 인간관계를 맺을 가능성이 높아집니다. 풍부한 인간관계는 삶에 더 많은 것을 안겨줍니다. 그러니 주위를 둘러보고 시간과 에너지가 허락하는 대로 가능한 한 많은 대화를 나누세요. 그러면 평생에 걸쳐 보상을 받을 수 있을 것입니다. 상대방이 다른 사람에게 적용할 원칙을 스스로에게도 적용하도록 만드는 것, 사람을 대하는 태도를 돌아보고 체크 리스트를 만드세요.

될 수 있으면 가능한 많이 상대방과 인간적으로 소통하세요. 인간적 소통은 공격적 태도가 만연한 세상에서 돈을 대신하는 가치를 지닙니다.

가장 빨리, 쉽게 해낼 수 있는 일을 기준으로 우선순위를 정하여야 합니다. 난이도보다 처리 속도가 우선이 되어야 합니다. 지금 할 수 있는 일은 전부 끝내고, 그다음 중기적으로 할 수 있는 일과 장기적으로 할 수 있는 일을 차례로 처리해야 합니다.

상대방의 방식대로 약속을 받는 것이 중요합니다. 협상 과정에서 약속 방법을 명확하게 논의할 필요가 있습니다. 약속에는 정해긴 기간이 있으므로 시한과 기간은 반드시 명확해야 합니다. 약속을 무효로 만드는 조건이 있다면 구체적으로 명시해야 합니다.

4) 협상 전략 예시

예시) 유통기업 'A사'와 '위셀호프'

입점 제안을 가정하여 작성한 내용입니다. 서울 강남 'A사'의 제품 판매 현황을 파악합니다. 2023년 7월 19일 현재 31종의 선크림을 판매 중입니다. 가격은 최저 15,200원(A사 제품 할인가)부터 최고 70,000원까지(B사 제품)입니다.

"귀사 매장에는 자사 제품과 같이 전문적 스포츠를 타겟으로 마케팅하는 제품 라인은 없는 상태입니다. 위셀호프 딥오션 라인은 Before Sun – After Sun 케어가 단계적으로 가능한 제품 라인입니다."

목표 수립

입점 가능한 'A사' 매장에서 일일 평균 판매 수량을 논의하여 목표로 설정합니다.

광고에 'A사'를 태그하여 'A사'로 구매 인구 유입을 유도합니다.

시즌 제품의 경우, 'A사'의 판매 전략에 따라 유연하게 할인 행사를 진행합니다.

오프라인 매장은 인천공항 면세점, 코레일 명품마루, 주한미군 부대 PX를 제외하고는 'A사'에 독점 판매권을 부여합니다.

홍보 목표 수립

TV 광고가 최종 목표이며 단계를 하나씩 올려야 하므로 시간이 걸립니다. 인스타그램, 유튜브, 페이스북에 광고를 게시합니다.

① 라이브 커머스 진행 중, 오프라인 매장은 'A사' 강조

　　− 라이브 커머스 4~5회 / 1주일

② IPTV, 대중교통, 소형 인플루언서 활용

　　− 체험단 필수 태그 'A사'

③ 대형 인플루언서 활용, TV 지상파 광고

현재 상황 분석

진행 중인 마케팅 및 입점 상황은 아래와 같습니다.

① 만리포 서핑 스쿨을 필두로 한 오프라인 체험존 운영 − 서핑 / 다이빙 매장

서핑, 다이빙, 여행, 등산 등 외부 활동 인플루언서 활용 체험단 진행 중입니다.

② 군인 남친을 둔 곰신 카페 체험단 및 카페 광고 진행 중입니다.

③ 인천 공항 면세점 / 블루스퀘어 한남 / 행복한백화점 목동 / 코레일 명

품마루 / 주한미군 PX에서 판매 중입니다. 9개국 수출 중입니다. 해외 수출 중인 점을 강조하여 국내를 방문하는 해외여행객의 시선을 잡을 수 있음을 강조합니다.

④ 현대백화점 판교 우수중소기업 행사 참여합니다.

문제 파악

현재 10종의 적은 품목으로 하나의 브랜드 매대를 형성하기엔 어려움이 있습니다.

하나의 브랜드 매대 형성을 목표로 삼고 매년 2~3개 SKU를 개발 및 생산하고 있습니다. 2024년에는 대용량 선크림 3종을 추가 런칭하기 위하여 개발 중입니다. 개발 중인 3색 대용량 선크림은 모두 기존 선크림과 유사하게 아웃도어, 스포츠, 워터프루프 기능을 탑재한 제품입니다. 물과 땀에 강하며 끈적임 없는 제형 및 피부색에 따라 사용하는 제품으로 출시할 계획입니다. 2024년 제품이 13종(기존 10종+3색의 150ml 선크림)으로 늘어나면 제품의 판매를 위한 매대 구성이 다양해질 것으로 예상됩니다.

강남의 'A사' 매장의 경우, 특별 판매 할인 매대 등을 배치하여 판매 중인 것으로 확인됩니다. 특판 매대에서 시작하는 것도 하나의 방법으로 생각됩니다.

1인 기업, 1천만 원으로 충분하다

공급 및 판매 모델

① 타겟 설정

딥오션 라인은 여행, 스포츠를 즐기는 사람들을 타겟으로 판매합니다.

달맞이 오일, EGF 로션은 30대 여성을 타겟으로 판매할 예정이며, 괄사와 림프 마사지에 사용되는 활용도를 중점으로 마케팅할 계획입니다. 마케팅의 방법으로는 라이브 커머스와 SNS 광고, 인플루언서 후기 마케팅을 진행합니다.

② 공급 모델 설정

계약 사항과 인센티브 확인은 'A사' 조건에 맞춰서 진행합니다.

③ 예상 공급률 전 제품 수출단가로 공급

공급 가격 리스트

품목명	A사에 공급률 예시	A사 소비자가격 예시
딥오션 선스크린	40	100
딥오션 셔벗	40	100
딥오션 알칼리 클렌저	40	100
딥오션 필오프 마스크팩	40	100
달맞이꽃 에센스 오일	40	100
EGF 에센스 로션	40	100

사용 방법

제품 사용 방법 및 활용 방법에 대하여 설명합니다.

① 아웃도어 / 여행 / 물놀이 / 스포츠 시

선스크린 - 외출 - 귀가 - 클렌저 - 필오프팩 - 셔벗

② 도심, 일상생활

선스크린 - 외출 - 귀가 - 클렌저 - EGF 에센스 로션

③ 메이크업 활용 시

세안 - EGF 에센스 로션 - 달맞이꽃 에센스 오일 - 선스크린 - 메이크
업 달맞이꽃 에센스 오일+BB / 파운데이션

④ 건성 / 아토피 / 건조 피부

달맞이꽃 에센스 오일 단독 사용

제품 특성 요약

딥오션 선스크린

워터프루프, 무기자차, 눈 시림 없음, 옥시벤존/옥티녹세이트를 배제하
여 '산호 보호 선크림' 키워드로 검색 1위이며 인공 향료 등 알레르기 유발
물질이 없어서 남녀노소 사용 가능합니다. 스쿠버, 물놀이, 서핑, 등산, 테

니스 등 스포츠인이 사용합니다. 2024년 3가지 색으로 개발하여 피부색에 맞게 사용할 수 있도록 하고, 150ml로 용량을 크게 늘려서 출시할 계획입니다.

딥오션 셔벗

샤베트 제형의 에프터썬 케어에 사용하는 시원한 쿨링 크림으로 바르는 즉시 시원하며 끈적임 없는 가벼운 타입입니다. 워터 베이스로 제형이 샤베트처럼 시원하고 나이트 크림과 같이 유분기가 없어서 남녀 모두 사용하기 적합합니다. 셔벗을 강조하기 위하여 잼용기를 가공하여 제품을 포장 용기로 사용했습니다.

딥오션 알칼리 클렌저

딥오션 선스크린을 지우기 위해서 개발되었습니다. 시장에서 유통되는 약산성 제품으로는 선스크린을 지우기 어려워 알칼리 클렌저로 개발하였습니다. 뽀득뽀득한 사용감이 있으나 사용 후 건조함은 없습니다.

딥오션 필오프 마스크팩

두껍게 바른 딥오션 선스크린이나 진한 메이크업의 잔여물 제거 및 썬번 등으로 인한 피부 열감을 낮추는 목적으로 개발되었습니다. 시원한 쿨링팩 제형으로 모공 청소와 여드름, 각질, 뽀루지에 효과적입니다.

달맞이꽃 에센스 오일

건성 피부, 아토피, 홍조 등 추위에 민감한 피부를 가진 사람들을 위한 제품입니다. 보통 엄마가 구매하여 아이와 함께 사용합니다. 달맞이꽃 오일을 활용하여 화장품을 만든 최초의 제품으로 달맞이 오일은 1% 함유되어 있습니다. 인공 향료 등 알레르기 유발 물질이 없어 남녀노소 사용 가능합니다. 괄사 마사지, 림프 마사지 시 사용하면 좋습니다.

EGF 에센스 로션

식약처 고시인 EGF 최대 함유량 10ppm에 맞춰서 개발하였습니다. 주름 개선에 효과가 좋으며 올인원 제품으로 사용 가능합니다. 여러 단계를 귀찮아하는 소비자가 사용하기 좋은 제품으로 하나만 챙겨 바르면 주름 케어가 가능합니다.

브랜드
만들기

STEP
3

타겟층을 공략하라

1

마케팅 계획과
전략을 수립하라

올바른 경영을 위한 세 가지 질문

① 우리의 사업은 무엇인가?

② 우리의 고객은 누구인가?

③ 우리의 고객은 무엇을 가치가 있다고 여기는가?

1) VIP 마케팅

'프레스티지 마케팅', '귀족 마케팅' 등은 상위 1% 혹은 10%의 부자들을 대상으로 한 마케팅 방법으로 현대 카드와 롤스로이스에서 잘 활용했습니다. 현대 카드 중 특정 카드는 돈이 있다고 만들 수 있는 카드가 아닙니다. 롤스로이스 또한 부가 있다고 해서 누구나 소유할 수 있는 차가 아니고 특정 조건에 부합해야 합니다.

누구나 가지고 싶지만 쉽게 가질 수 없는 것들에 사람들은 열광합니다. 내가 만들고자 하는 제품 혹은 서비스가 VIP 마케팅이 가능한 품목인지, 가능하면 어떻게 시장에 진입할 수 있을지 고민해 보아야 합니다.

80 대 20 법칙, 파레토 법칙을 활용한 롱테일 마케팅

19세기 이탈리아 경제학자 '파레토'가 영국의 부와 소득의 유형을 연구하여 내놓은 법칙으로서, 상위 20%가 전체 부의 80%를 가진다는 법칙입니다. 이 법칙을 마케팅에 적용하여 상위 20%를 위한 브랜드 전략을 세울 수 있는데, 이것이 바로 대표적인 VIP 마케팅 방법입니다. 하지만 이런 VIP 마케팅과는 다른 반대의 마케팅 방법이 있습니다. 그것이 바로 롱테일 마케팅입니다.

'롱테일 마케팅'은 상위 20%의 제품(숏테일, Short Tail)에 집중하는 것보다 하위 80%에 해당하는 다른 제품(롱테일, Long Tail)에 집중하는 것입니다. 즉 'VIP 마케팅'과는 반대입니다.

내 브랜드와 제품은 'VIP 마케팅'과 '롱테일 마케팅' 중 어디에 적합한가 고민 후 마케팅 방향을 설정해야 합니다.

2) 취미 마케팅

스포츠 마케팅은 가장 대표적인 마케팅 방법이라 할 수 있습니다. 현대차와 나이키의 '슈퍼볼' 광고는 큰 비용을 부담하며 진행할 만큼 매력적입니다. '슈퍼볼'은 세계 최대의 광고 효과를 내는 스포츠이며 경기 방영 사이에 방송되는 광고는 엄청난 파급력을 지녔기 때문입니다.

3) 성별 마케팅

'에뛰드 하우스'의 핑크핑크한 '프린세스 마케팅'이 젊은 여성을 사로잡는 방법이었다면 '올인원 스킨 케어'는 남성 고객을 끌어들였습니다. 남성 화장품 시장은 매년 성장하는 시장입니다. 남성들도 피부 관리에 신경을 쓰고 노화와 주름을 걱정하며 자외선 차단제를 챙겨 바르는 시대가 됐기 때문입니다. 남성이 관심을 가지는 제품군과 해당 영역에 적합한 제품을 개발할 방법에 대한 고민이 필요합니다.

4) 주부 마케팅

주부를 대상으로 하는 마케팅의 경우 지역 맘카페나 홈쇼핑, 입소문 전략을 활용해야 합니다.

대표적으로 성공한 마케팅 방법 중 '딤채 김치냉장고'의 10+1 전략이 있습니다.

김치냉장고를 원하는 주부 10명이 모여 김치냉장고 계를 만들어 10대를 구매하면 1대를 보내주는 전략으로 전국적인 호응을 끌어내고, 대한민국 가정에 김치냉장고가 90% 이상 보급되게 만드는 역할을 했습니다. 주부를 대상으로 하는 제품에서 입소문 마케팅만큼 중요한 방법은 없습니다.

5) 스페이스 마케팅

매장의 위치와 고객의 특성에 맞게 알맞은 인테리어가 필요합니다. 스페이스 마케팅에서 고객의 동선과 음악 또한 매우 중요한 요소입니다. 빠른 음악은 선택을 빠르게 해 회전율을 높일 때 필요하다면, 클래식과 재즈는 천천히 제품 또는 서비스를 즐기고 살펴야 할 때 적용해야 합니다. 심박수와 음악, 매장의 분위기가 구매 전환으로 이어지기 때문입니다. 캐주얼 매장의 경우 10~20대 초반을 겨냥해 중간 이상 빠른 템포의 가요를 고르며, 마트에서는 세일 시 빠른 템포의 댄스곡을 골라야 물건이 잘 팔립니다.

이외에 매장 건물이나 매장 내부 인테리어 디자인을 독특하게 하여 제품 및 서비스의 브랜드 가치를 높이는 마케팅 방식도 있습니다. 예를 들겠습니다.

'판타룬 리테일'은 매장을 방문하는 인도 고객의 소득 수준이 높지 않다는 것을 알았습니다. 그들은 깔끔하고 잘 정리된 서구식 마트에서 괜히 기가 죽곤 합니다. 으리으리한 매장보다 재래시장 분위기의 편안한 가게를 더 선호한다는 것입니다.

그 사실을 파악한 판타룬 리테일은 매장 분위기를 인도 재래시장과 유사하게 바꾸어 대박을 터뜨립니다. 물건들을 통로에 지저분하게 늘어놓는 것도, 바닥을 회색 화강암 타일로 한 것도, 높은 선반 대신 큰 박스에 물건을 담아 사람들이 내려다보며 고를 수 있게 만든 것도, 모두 재래시장의 분위기입니다. 또 인도 지방 사투리로 안내 방송을 한 것도 마찬가지 이유입니다. '비야니' 판타룬 회장은 "우리는 사람들이 꿈을 꿀 때 사용하는 언어로 광고합니다. 나 역시 영어로 꿈꾸는 사람이 아닙니다."라고 말하며, 영어가 아닌 인도 지방어로 광고하는 이유를 설명했습니다.

교보문고 특유의 향기는 '교보문고'라는 브랜드를 소비자에게 각인시킵니다. 즉 오감을 모두 자극하는 매장을 만들어야 고객의 뇌리에 깊이 인식됩니다.

6) CEO 마케팅

대표적인 인물로 '테슬라'의 CEO '일론 머스크'가 있습니다. 테슬라는 일론 머스크의 이슈 메이킹으로 TV 광고 없이 효과적으로 제품과 브랜드를 전 세계적으로 홍보했습니다.

한국의 대표 인물은 '더본코리아'의 '백종원 대표'가 있습니다. 방송에서 보이는 이미지와 사업에 대한 백종원 대표의 태도는 한국의 수많은 자영업자에게 귀감이 되고 있으며 '백종원'이 하나의 브랜드로 자리 잡게 만들었습니다.

CEO의 독특한 개성 창출은 기업 이미지를 구축하고 조식 내부의 확고한 결속을 만들어 냅니다.

7) 문화 마케팅

한류는 엄청난 파장을 일으키며 전 세계를 사로잡았습니다. 지금은 대한 민국이 그 자체로 하나의 브랜드이며 강력한 힘을 발휘합니다. 2000년 초에 시작된 문화증대 사업은 한국의 소프트 파워를 증대시켰고 10년이 지난 후에는 차츰 싹을 틔웠습니다. 20년이 지난 지금은 활짝 꽃을 피웠습니다. Made in Korea는 그 자체로 품질 인증 마크가 되었습니다.

브랜드를 운영하다 보면 광고나 마케팅을 할 때 가장 쉽게 떠올리는 방법이 있습니다. 그건 바로 드라마나 영화, TV 예능 프로그램 등을 활용한 PPL입니다. PPL로 노출된 제품은 한국인뿐만 아니라 전 세계인을 대상으로 노출됩니다. 문화 마케팅이 성공하기 위해서는 자기 회사 제품 및 서비스와 지향하는 문화가 효과적으로 연결되어야 합니다.

8) 홍보 전략 구성

제품과 서비스 홍보는 브랜드의 가시성을 높이고 타겟 그룹에 제품의 가치와 혜택을 알리는 역할을 합니다. 효과적인 홍보와 광고는 다음과 같은 이점을 제공합니다.

브랜드 인지도 증가

홍보와 광고를 통해 브랜드의 이름과 존재감을 높일 수 있습니다. 이를 통해 고객들이 브랜드를 더 기억하고 신뢰할 수 있게 됩니다.

신규 고객 유치

효과적인 홍보와 광고는 새로운 고객을 유치하고 기존 고객들을 유지하는 데 도움을 줍니다.

매출 증대

제품과 서비스를 잘 홍보하고 마케팅하면 매출이 증가할 수 있습니다. 고객들이 제품을 더 많이 구매하거나 서비스를 이용하게 될 수 있습니다.

경쟁 우위 확보

효과적인 홍보와 광고를 통해 경쟁 시장에서 브랜드의 차별화를 강조하고 경쟁 우위를 확보할 수 있습니다.

고객 로열티 강화

브랜드가 제품과 서비스를 올바르게 홍보하면 고객들이 브랜드에 대한 로열티를 느낄 가능성이 높아집니다.

9) 핵심 요소

타겟 그룹 정의와 이해

홍보와 광고 전략을 구성할 때 가장 중요한 단계는 누구에게 제품과 서비스를 홍보하고자 하는지를 명확히 정의하는 것입니다. 타겟 그룹의 니즈, 행동 양식, 관심사 등을 이해하여 그들의 니즈와 기대에 부응하는 콘텐츠와 메시지를 개발해야 합니다.

차별화된 가치 제안

경쟁 시장에서 어떻게 차별화될 것인지를 고민해야 합니다. 제품이나 서비스의 고유한 가치와 장점을 강조하여 타겟 그룹에게 왜 선택해야 하는지를 설득력 있게 전달해야 합니다. 기존 제품과의 차별성을 명확하게 설명해야 합니다.

현재, 한국의 제조 기술이 발전하여 선진국 및 기타 제조 강국이 만들어 내는 제품과 비교해도 품질의 차이가 크지 않습니다. 따라서 제품을 효과적으로 설명할 수 있는 차별점을 명확하게 설정해서 제품 및 브랜드를 개발해야 합니다.

다양한 매체 활용

다양한 매체를 활용하여 홍보와 광고를 전달하는 것이 중요합니다. 온라인 광고, 소셜 미디어, 인쇄물, 라디오, 텔레비전 등 다양한 채널을 활용하여 타겟 그룹에게 다양한 방식으로 도달할 수 있습니다.

특히 타겟으로 설정한 그룹이 주로 정보를 획득하거나 공유하는 매체를 활용하는 게 좋습니다. 오늘날의 정보는 SNS로 확산되는 경우가 많습니다. '위셀호프'를 예로 들어 설명한다면 서퍼들이 활동하는 서핑 매장과 다이빙 매장 및 서퍼들의 SNS에 제품을 협찬하는 방법을 사용합니다.

감정적 호소

고객의 감정에 호소하는 메시지는 더 강한 인상을 남깁니다. 감성적인 스토리텔링, 감동적인 이미지, 흥미로운 이야기 등을 활용하여 고객의 감정을 자극해야 합니다. 제품이나 브랜드를 개발하게 된 이유를 설득력 있게 호소한다면 소비자들은 고개를 끄덕일 것입니다. 솔직하게 브랜드의 가치를 설명하는 것이 중요합니다. 제품을 개발하게 된 이유를 거짓 없이 설명한다면 소비자들은 브랜드를 조금 더 쉽게 이해하고 기억하게 됩니다. 사회 환원을 많이 하는 기업이 늘어나는 추세도 이와 같은 맥락에서 이해하면 됩니다.

컨텐츠의 가치 제공

홍보와 광고 컨텐츠가 고객들에게 가치를 제공하는 것이 중요합니다. 유용한 정보, 해결책, 엔터테인먼트 등을 통해 고객의 니즈를 충족시키고 관심을 끌어내세요. 어떠한 이미지를 가진 모델을 사용할 것인가? 사람을 모델로 사용할 것인가? 애니메이션을 제작할 것인가? CM송은 어떤 방식으로 제작할 것인가? 다방면으로 브랜드의 특성에 맞는 컨텐츠를 제작해야 합니다.

호출식

광고 시 원하는 행동을 고객들에게 명확히 알려주는 호출식(Call to Action)을 포함하세요. 제품 구매, 웹사이트 방문, 문의 등을 독려하는 내용을 추가하여 고객의 참여를 유도하세요.

효과 측정과 분석

홍보와 광고의 성과를 측정하고 분석하여 전략을 개선하세요. 클릭율, 전환율, 브랜드 인지도 등을 모니터링하고 데이터를 활용하여 전략의 효과를 파악하세요. 브랜드와 제품을 런칭하면 가장 중요한 것은 제품의 노출입니다. 온라인, 오프라인을 가리지 말고 타겟층이 제품을 인식할 수 있도록 노출해야 합니다. 스마트 스토어를 운영하면 레포트를 쉽게 확인할 수 있습니다.

지속적인 개선

마케팅 환경은 끊임없이 변화하므로 광고 전략을 지속적으로 개선하고 발전시켜야 합니다. 고객의 피드백을 수용하고 새로운 트렌드와 동향을 파악하여 조정하세요. 고객의 리뷰를 통하여 제품을 개선하는 것이 필요합니다. '위셀호프' 선크림도 용량에 대한 고객의 문의와 바이어의 요청에 맞추

1인 기업, 1천만 원으로 충분하다

어서 제품 용량을 개선하려고 계획하고 있습니다.

정리

제품 및 서비스의 홍보와 광고 전략은 기업의 성공을 좌우하는 중요한 요소입니다. 고객들에게 제품 및 서비스의 가치와 혜택을 효과적으로 전달할수록 브랜드 인지도를 높일 수 있으며, 이는 매출을 증가시키는 데 기여합니다. 타겟 그룹의 니즈와 관심을 고려하여 창의적이고 명확한 메시지를 개발하고 다양한 매체와 전략을 활용하여 브랜드의 성공을 도모하세요.

10) 고객 확보와 판매 전략

제품 노출 전략 예시

① 서핑, 다이빙 매장

타겟 고객이 모이는 온라인, 오프라인에서 제품을 노출해야 합니다. '위셀호프 딥오션 라인'을 예로 설명하겠습니다. 딥오션 라인은 스포츠인을 타겟으로 개발된 제품 라인입니다. 선크림을 필두로 하여 제품을 알리는 것을 목적으로 하였기에 자외선에 가장 노출이 많이 되는 사람들을 조사했습니다. 스포츠 라인 중 자외선에 가장 심하게 노출되는 사람들은 서핑을 즐기는 사람들이었습니다. 자외선이 머리 위와 바다에 반사되는 모든 방향을 통해 강력하게 인체에 영향을 미치기 때문입니다.

조사 이후, 서핑 매장을 대상으로 마케팅을 했습니다. 서핑 매장에 서핑장에 방문한 손님들이 사용할 수 있도록 구획을 나누어 제품을 비치했습니다. 서핑 매장 입장에서는 무료로 선크림을 사용할 수 있다는 편의성을 고객들에게 제공할 수 있고, 위셀호프는 제품을 경험한 사람을 늘려 잠재적인 고객을 유치할 수 있기 때문입니다. 제품 구매는 QR코드를 비치하여 자사 온라인 몰에서 고객의 구매로 연결되게 하였습니다.

② 골프장

미얀마, 인도네시아, 말레이시아 등 외국 골프장과 협업을 합니다. 골프장에 제품을 비치하여 골프를 즐기는 고객들이 제품을 사용해 보고 구매하는 시스템입니다. 외국의 골프장은 베트남, 홍콩, 싱가포르, 자카르타 등 해외 박람회와 전시회에 참가하여 해당 바이어를 만났습니다.

③ 백화점 팝업 스토어

판교 현대백화점 행사 코드를 가지고 있습니다. 중소기업 유통센터를 통하여 우수 중소기업 제품 홍보 및 판매를 3개월에 1회 (3~4일) 진행합니다. 백화점에서 팝업을 진행하면 소비자들의 인식이 제품의 품질을 보장하는 척도가 됩니다.

④ 인천 공항 면세점

인천 공항 면세점에서 제품을 판매합니다. 팝업 형식이 아닌 입점 형식으로 진행하여 주 1회 면세점에서 재고 확보를 위해 제품 발송 메일을 받고 제품을 발주합니다. 면세점 브랜드라는 타이틀은 제품을 보증해 주는 효과를 냅니다. 위셀호프는 인천공항 1터미널 '판판 면세점'에 입점되어 판매 중입니다. 1주일에 1회 주기로 제품 발주가 들어옵니다. 제품의 프로모션이나 할인 행사를 위해서는 공문을 보내고 중소기업 유통 센터와 협의하여 행사를 진행할 수 있습니다.

⑤ 코레일 명품마루

코레일 유통이 운영하는 '명품마루'가 있습니다. 기차 여행객을 대상으로 한 대합실에 위치한 매장으로 우수 중소기업 제품을 판매합니다. 서류 심사 후 품평회를 통하여 선별된 브랜드 제품이 입점할 수 있습니다. 명품마루의 최대 장점은 수많은 여행객의 방문입니다. 제품이 여행과 관련 있다면 더욱 좋은 기회가 될 수 있습니다.

고객 확보 전략

고객을 확보하기 위해서는 고객이 모이는 장소에 제품 및 서비스를 노출하는 것이 매우 중요합니다. 군인이 타겟이라면 군인 맘카페, 곰신 카페를 알아보고 가입하여 정보를 수집해야 합니다. 정보가 수집되었다면 전략적으로 접근하여 제품 및 서비스를 홍보해야 합니다.

위셀호프 딥오션 선크림은 곰신 카페에서 광고를 진행합니다. 군에 입대한 남자의 여자친구들이 모여 있는 곳에 제품을 노출하여 사회에 있는 여자친구가 남자친구를 위해 제품을 구매하여 보내기도 하고, 체험단을 진행하여 선정된 곰신에게 제품 2개를 발송한 뒤 하나는 곰신이 쓰고 하나는 군인 남자친구가 사용할 수 있는 기회를 제공합니다. 잠재적 소비자가 있는 곳에 제품을 적극적으로 노출해야 합니다.

고객 판매 전략

판매는 브랜드 오너가 직접 온, 오프라인으로 판매하는 방법이 있고, 국내 총판과 해외 총판, 해외 바이어를 두는 방법 등이 있습니다. 판매 전략을 계획할 때 제품의 특성과 총판 및 독점 수입사의 역량을 보고 판단해야 합니다. 독점 수입권은 발급을 지양해야 합니다. 잘못 발급하게 되면 시장 전체를 잃을 수 있기 때문입니다.

위셀호프를 운영하면서 두 차례 계약을 파기했습니다. 독일과 인도네시아 시장이었는데, 해당 시장의 독점 바이어와의 마찰로 인하여 해당 시장을 포기하고 정리해야 했습니다. 이 때문에 시간과 비용이 많이 소모되었습니다. 브랜드 오너가 직접 판매하게 되면 마진율이 가장 높습니다. 그러나 처음부터 끝까지 유통의 모든 것을 책임지게 되어 챙겨야 할 일이 많습니다.

국내 총판을 두는 경우와 달리, 해외 총판의 경우, 단계를 나누어 목표

금액을 설정하는 것이 좋습니다. 예를 들어 1개월 총판 필수 매입 금액을 1억 원으로 설정하면, 총판은 1억 원의 제품을 1개월 이내에 유통하기 위해 노력하게 됩니다. 또한 마진이 줄어도 대량으로 판매가 가능하여 브랜드 오너의 입장에서도 재고 회전이 빠르고 자금 융통에 좋습니다.

위셀호프 판매 전략은 연계 사용을 가능하게 하는 것입니다.

① 아웃도어 / 여행 / 물놀이 / 스포츠 시
선스크린 - 외출 - 귀가 - 클렌저 - 필오프팩 - 셔벗

② 도심, 일상생활
선스크린 - 외출 - 귀가 - 클렌저 - EGF 에센스 로션

③ 메이크업 활용 시
세안 -EGF 에센스 로션 - 달맞이꽃 에센스 오일 - 선스크린 - 메이크업 달맞이꽃 에센스 오일+BB / 파운데이션

④ 건성 / 아토피 / 건조피부
달맞이꽃 에센스 오일 단독 사용

달맞이꽃 에센스 오일 마사지, 괄사 마사지, 림프 마사지 시에 사용하는

방법을 설명합니다. 영상을 통하여 꾸준하게 소비자들에게 제품의 사용 방법에 대하여 설명하여 이해도를 높이고 브랜드와 제품을 홍보합니다.

1인 기업, 1천만 원으로 충분하다

2

시장 세분화와
제품 포지셔닝 전략을 고민하라

1) 시장 세분화란?

제품 라인이나 서비스를 기반으로 고객을 그룹화합니다. 특정 제품 라인과 카테고리에 관심을 가진 고객들을 타겟으로 하여 제품에 대한 맞춤 마케팅 전략을 수행합니다.

① 핵심 제품 → 유형 제품 → 확장 제품

② Why → How → What → Where → Who

③ 왜 필요한가? → 어떻게 도움이 되는가? → 무엇을 통해 실현되는가?
  → 어디서 사용하는가? → 누가 사용하는가?

보통 제품이나 서비스를 만들 때 반대로 고려하기도 합니다. 타겟층을 고려하여 제품이나 서비스를 구성할 때도 있으나 제품 뒤 브랜드에 심어야 할 메시지를 담기 위해서는 '왜'가 먼저 고려되어야 합니다.

다양한 소비자의 욕구를 파악해 이들의 욕구를 알맞게 충족시켜야 하며 숨어 있는 소비자의 욕구를 발견하여 새로운 시장 기회를 찾아야 합니다.

특정 소비자 혹은 취미 등에 맞춰서 타겟팅을 했다면 세밀하고 정밀하게 시장을 두드려야 합니다.

시장 세분화 방법은 아래와 같습니다.

시장 세분화 수준 결정 → 세분화 기준 결정과 시장 세분화 실행 → 세분 시장에 대한 평가 → 표적 시장 선정

예시) 선크림을 개발하기로 했다면 시장을 나누어야 합니다. 언제 사용하는 선크림인지, 어디서 사용하는 선크림인지, 누가 사용하는 선크림인지에 따라 나누어집니다.

큰 틀에서 두 가지의 선크림 종류는 '무기자차'와 '유기자차'가 있습니다. '혼합기자'와 같은 무기자와 유기자가 섞여 있는 제품도 있습니다. 쉽게 설명하기 위하여 유기자차와 무기자차 두 가지로 나누어 설명하겠습니다. 유기자차 선크림(화학적 자외선 차단) 혹은 무기자차 선크림(물리적 자외선 차단) 두 가지 방향 중 하나를 선택해야 합니다. 위셀호프로 설명하면 우리는 '무기자차 → 스포츠 → 서핑, 다이빙' 이렇게 구체적으로 타겟팅을 했습니다.

일반 선크림으로 시장에서 경쟁한다면 우리는 대기업과의 경쟁을 피할 수 없습니다. 그들과의 경쟁은 자본 시장에서는 필패라고 생각하였고 소비자층이 적지만 경쟁도 작은 틈새시장을 집중 타겟으로 선정하였습니다. 여름 전용 제품으로 겨울에는 판매가 적을 수 있다는 단점이 있지만 사계절이 없는 더위가 심한 동남아, 인도 등 타국에 수출하여 국내 겨울 시장의

매출 실적 하향곡선을 상쇄할 수 있다고 계산했습니다. 인도와 동남아인의 피부는 한국인의 피부와는 다릅니다. 따라서 선크림에 흰색이 아닌 인도와 동남아인의 피부색을 고려하여 2가지 색을 추가하였고 용량을 늘려 가격 경쟁력을 높이는 전략을 사용했습니다.

2) 시장 세분화 수준의 결정

① 대량 시장 ≥ 세분화 ≥ 틈새시장 ≥ 미시적 마케팅

② 대량 시장 = 대량 생산, 대량 유통, 대량 촉진 = 규모의 경제, 경험 효과, 대기업

③ 세분화 = 선별된 표적 시장, 연력, 소득 수준

④ 틈새 = 시장 속의 시장, 더 세분화된 시장, 적은 규모의 소비자 집단

⑤ 미시 = 개별 마케팅, 소수 거래 고객, 소규모 기업

예시) 1인 기업의 제품이나 서비스는 단번에 대량 시장으로 진출이 어렵습니다. 완벽한 특허를 받은 획기적인 제품이나 서비스가 아니라면 불가능에 가깝습니다. 그렇다면 우리가 만들어야 하는 것은 미시적 시장이고 마케팅을 통한 사업의 확장을 이뤄야 합니다. '설빙'은 작은 동네 카페로 시작했지만 지금은 전국에 가맹점이 있으며 해외에 분점이 있는 큰 기업이 되었습니다. 인절미와 콩가루를 활용한 빙수가 메가 히트를 쳤고 사업체가 성장하면서 꾸준한 메뉴 개발을 한 데다가, 건물의 2층에 입점하여 월세를 줄이는 입점 전략도 매우 좋았습니다. 모든 가게는 작게 시작합니다. 작은 가게를 크

게 성장시켜 나가는 것이 기업과 사업가 모두의 성장이니, 1인 기업일수록 작게 시작하여 도전하는 분야에서의 역량을 키워 스스로 성장해야 합니다.

3) 시장 세분화 기준

소득, 연령, 성별, 직업, 지역, 제품 사용 정도 등입니다.

지리적 변수

국가, 지역, 도시, 시골

예시) 내가 창업하고자 하는 지역이 어디인가 생각해 보고 제품이나 서비스에 따라서 도시와 시골 두 곳의 유불리가 나뉘기도 합니다. 자사에서 운영하는 스마트 스토어는 계절별 채소나 과일을 판매한다면 꼭 도심이 아니어도 상관없습니다. 오히려 시골에서 오늘 수확한 작물이라는 컨셉, 마을 이장님 댁 사과 혹은 사과즙을 판매하고 생산자와 생산지의 사진을 보여준다면 소비자는 더욱 믿음이 생겨 같은 가격일 시 시골 판매자의 제품을 구매할 가능성이 커집니다.

인구 통계 변수

성별, 연령, 소득, 혼인 상태, 직업, 종교, 인종, 가족생활 주기, 주거 형태, 교육 수준, 가족 구성

인구 통계 변수는 제품이나 서비스를 계획하는 데 가장 기본적인 요소입니다.

예시) 학원이나 공부방을 계획하고 있다면 1인 가구가 많은 지역보다 가족 단위 가구가 많은 아파트, 학교 주변에서 창업을 해야 합니다. 교육열이 높은 지역에 창업하면 더욱 좋습니다. 맞벌이 부부가 많은 지역에서 초등학생을 대상으로 하는 공부방을 창업하고 식사를 도시락 등으로 챙겨주면 공부방이 자리 잡기에 좋습니다. 너무나도 당연하게 고려되어야 하는 기초적이고 필수적인 변수이므로 상권 조사나 제품 및 서비스 조사를 하여 매장을 오픈해야 합니다.

사이코 그래픽 변수

심리적 특성, 사회 계층, 생활 양식, 개성

예시) 자연환경에 관심이 많은 사람들을 대상으로 하는 친환경 및 에코 제품들이 시중에 많이 출시되고 있습니다. 그런 제품들이 나타나는 중요한 이유는 환경 오염이 인간에게 큰 영향을 미치게 되면서, 환경 피해를 최소한으로 하여 동식물들을 살리기 위한 일련의 운동이 발생하고 있기 때문입니다.

친환경과 기업의 사회적 환원에 관심을 가지는 소비자가 많다는 것은 그만큼 사회적 책임이 기업에 생긴다는 것을 의미합니다. 따라서 제품을 개발할 때 반드시 확인해야 하는 사항이 바로 환경에 관련된 사항입니다. 이런 심리적인 반응은 히트 상품을 만들어 기업을 단단하게 다지기도 합니다. 나아가 인체와 환경에 피해를 주는 제품이라는 소문이 돌아 그걸 사람들이 알게 되었을 때, 그 기업과 제품은 사라지게 될 확률이 높습니다. 그러므로 환경과 정도를 지키는 기업과 제품으로 기억되어야 합니다.

행동 변수

구매 행동, 선호도, 사용패턴, 구매빈도, 구매 수량, 브랜드 충성도, 제품 사용 목적

예시) 선크림 사용자의 행동 변수를 고려해야 합니다. 언제, 어디서 사용하는 제품인지, 타겟 소비층의 브랜드 충성도와 사용 패턴은 어떠한지. 이러한 것을 고려하여 용량을 정하고 가격을 설정하여 개발해야 합니다. 위셀호프 딥오션 선크림은 스포츠인의 사용이 많습니다. 따라서 용량을 늘려 제품을 리뉴얼하고 색상을 3가지로 늘릴 계획입니다. 추가적으로 스포츠를 즐기는 사람들의 리뷰를 받아보고 제품을 리뉴얼하는 방법도 좋습니다.

심리적 변수

심리적 특성, 라이프 스타일, 성격, 취미, 가치관, 관심사, 행동 양식

예시) 절임 김치를 판다면 강원도 고랭지 채소밭 앞에서 라이브로 파는 것이 가장 좋습니다. 사과나 사과즙을 판매한다면 사과 과수원 앞에서 라이브를 하거나 생산자와 생산지 사진을 촬영하여 활용하는 것이 효과적입니다. 이러한 행위는 소비자에게 제품이 정직하게 생산 및 판매된다는 것을 확인시켜 심리적 안정감을 주게 됩니다. 제품을 선정하였다면 소비자가 확

신을 얻을 수 있도록 해야 합니다.

가치 변수

제품이나 브랜드에 대한 태도, 가치관, 인식을 기반으로 가치를 추구하는 고객을 타겟으로 정합니다.

예시) 비누를 기반으로 하는 샴푸바, 바디바가 시장에 많이 있습니다. 플라스틱 쓰레기가 없고 액상 샴푸를 생산할 때 발생하는 오염을 줄일 수 있어서 환경에 관심을 가지는 소비자들에게 선택을 받는 제품군입니다. 자신의 브랜드 정체성을 설정할 때 중요한 사항이 제품과 브랜드의 지향점이고 모토로 나타나는 가치입니다.

사용 목적에 따른 변수

제품이나 서비스를 사용하는 목적에 따라 고객을 분류합니다. 제품 사용 용도, 빈도, 환경 등을 고려하여 그룹을 형성하고, 해당 목적에 부합하는 마케팅 전략을 개발합니다.

예시) '오뚜기' 케첩을 사용하는 곳을 가정과 토스트 가게로 나누어 봅시다. 가정용은 소용량으로 만들고 제품의 판매 주기를 한 달로 설정한다고 가정했을 때, 토스트 가게 용은 대용량으로 만들고 제품의 판매 주기를 일주일 정도로 가정해야 할 것입니다.

내용물은 같으나 제품이 어느 곳에서 사용되는가에 따라 패킹을 바꿔서 다른 제품으로 시장에 진출할 수 있습니다. 위셀호프 딥오션 선크림은 국내 시장에서 50ml 용량으로 런칭했고 똑같은 용량으로 수출도 했습니다. 다만 인도 바이어와의 미팅에서 200ml 용량의 선크림을 요청해 왔습니다. 처음에는 제품에 관련된 모든 내용을 새로 설정해야 하고 생산해야 하는 부담감에 거부하려 했습니다. 하지만 고민해본 결과, 150ml 정도로 개발하게 된다면 소비자 가격을 조금만 올려 판매할 수 있다고 판단했습니다. 이러면 수출과 내수 모두에서 가능성이 있다고 판단하였습니다. 이렇듯 같은 제품도 장소를 바꾸면 다른 면모를 볼 수 있습니다. 위셀호프는 150ml 선크림 3색을 런칭하여 인도 시장과 국내 시장에 런칭할 계획입니다. 3색은 피부색이 다르기에 사용자의 피부색에 맞춰 선크림을 선택할 수 있게 하기 위함입니다.

시장 세분화를 효과적으로 활용하려면 다음과 같은 단계를 따를 수 있습니다.

① 데이터 수집 및 분석

고객 데이터를 수집하고 분석하여 다양한 세분화 요소를 확인합니다. 이를 통해 고객 그룹을 식별하고 특징을 파악합니다. 직업, 성별, 나이, 주거 지역, 취미 등 정보를 수집합니다.

② 세분화 그룹 정의

데이터 분석을 기반으로 세분화 그룹을 정의합니다. 공통된 특성이나 요소를 가진 고객들을 그룹으로 묶습니다. 묶인 그룹에 맞게 제품 및 브랜드를 타겟팅합니다.

③ 타겟 마케팅 전략 개발

각 세분화 그룹에 맞는 타겟 마케팅 전략을 개발합니다. 각 그룹의 요소와 특성을 고려하여 제품, 가격, 홍보, 배포 전략을 조정합니다. 타겟이 된 그룹에 효과적으로 브랜드를 알릴 방법을 모색합니다. 작은 시장에서는 시장에 모여 있는 사람들에게 직접적으로 샘플을 보내어 피드백을 받는 방법도 좋습니다.

4) 제품 사용 형태 세분화

사용량에 의한 세분화

대량 ≤ 보통 ≤ 소량 소비자

적은 고객 수가 대부분 소비를 이끌어갑니다. 브랜드 충성도가 높은 소비자들의 힘으로 기업은 성장합니다. 핵심 제품을 통하여 폭발적으로 고객을 모아야 합니다. 제품 라인 전체가 핵심 상품이 되면 좋겠지만 그렇게 되긴 어렵습니다. 하나의 특별한 상품으로 브랜드를 홍보해야 합니다. 브랜드가 익숙해진 고객들은 핵심 상품이 아닌 다른 제품들도 구매하여 브랜드 충성도를 높여 갑니다.

5) 바람직한 세분화가 갖추어야 할 조건

각 세분 시장은 서로 이질적인 소비자 욕구를 가져야 합니다.

또한 개별적인 마케팅 프로그램을 실행할 수 있을 정도로 충분한 시장 규모를 가져야 합니다. 마케팅 노력으로 세분 시장에 대한 접근이 쉬워야 합니다. 세분된 시장의 규모 및 세분된 시장에 속한 소비자들의 구매력을 측정할 수 있도록 하여야 합니다.

6) 각 세분 시장에 대한 평가

각 세분 시장의 인구 통계적 특성과 제품 구매 동향과 관련된 변수들에 대한 자료를 수집해야 합니다. 나아가 시장으로서의 잠재력을 검토하며 향후 성장률 및 경쟁 상황에 대한 정보를 수집합니다.

추가로 고객들에 대한 접근 가능성을 점검해야 합니다. 타겟 시장 내의 고객들의 관심사, 관심 유도, 자사 상표의 차별적 포지셔닝, 접촉 매체, 광고, 판촉 예산 등을 체크해야 합니다.

7) 제품 포지셔닝 전략

제품 속성에 의한 포지셔닝

제품 속성에서 자사 제품의 차별적 우위를 선점하는 방법입니다. 제품

1인 기업, 1천만 원으로 충분하다

그 자체로 시장에서 존재감을 드러내서 승부를 보는 전략입니다. 대다수의 제품이 제품 속성에 의한 포지셔닝을 택합니다.

사용 상황에 따른 제품 포지셔닝

제품이 사용될 수 있는 적절한 상황과 용도를 자사 제품과 연계시키는 방법입니다. 뜨거운 태양 아래 여름 휴양지에서의 여행자와 선크림을 연계하고, 축구 선수가 땀 흘리며 스포츠음료를 마시는 장면을 연출하는 방법입니다.

제품 사용자에 따른 제품 포지셔닝

타겟 시장 내의 특정 전형적 소비자들을 겨냥하여 자사 제품이 그들에게 적절한 제품이라고 홍보하는 방법입니다. 위셀호프 딥오션 선크림은 서핑 매장과 다이빙 매장에 제품을 비치하는 방법으로 제품 및 브랜드를 마케팅하였습니다. 덕분에 수상 스포츠를 즐기려 방문한 고객들에게 자연스럽게 노출되어 스포츠 활동에 필요한 제품이라는 인식을 심어주었으며, 서퍼와 다이버에게 제품을 제공하여 SNS에 제품을 노출시켰습니다.

경쟁 제품에 의한 제품 포지셔닝

소비자의 마음속에 강하게 인식되어 있는 경쟁 제품에 대한 자사 제품의 차별점을 명시적 혹은 묵시적으로 제시하는 방법입니다. 경쟁사의 제품을 분석하고 제품 리뷰를 꼼꼼히 확인합니다. 그다음, 부정적인 리뷰의 내용을 기반으로 자사 제품은 경쟁사의 약점을 커버한 제품이라는 설명을 제시합니다. 이를 통해 고객에게 브랜드를 알리는 방법입니다.

제품 포지셔닝 전략의 수립과 집행 리스트입니다.

① 소비자 욕구와 경쟁 상황에 대한 분석

② 가능한 경쟁 우위 요인의 검토

③ 제품 차별화 = 품질, 가격, 성능, 디자인 등 물리적 속성 검토

④ 서비스 차별화 = 부가적 서비스 부분의 차별화

⑤ 인적 차별화 = 종업원의 친절도

⑥ 이미지 차별화 = 기업과 상표의 이미지

⑦ 제품 포지셔닝에 활용될 차별화 요인의 선정

⑧ 선택된 제품 포지셔닝의 실행

1인 기업, 1천만 원으로 충분하다

3

표적 시장이란
무엇인가?

1) 아이디어 대입하기

아래의 고려 요인을 제품 및 서비스에 대입하여 보세요.

세분 시장의 규모와 시장 성장률

시장 성장률을 잘 모르겠다면, 해당 제품이나 서비스가 판매되는 유통망을 조사하면 됩니다. 예를 들어 선크림이라면 화장품을 판매하는 온라인, 오프라인 매장에서의 판매량과 리뷰를 찾아서 조사합니다.

대입해보기)

_____

_____

_____

_____

기업의 자금 부담 능력

현재 내 자금이 1천만 원이라고 가정하고 접근해 봅니다. 1천만 원으로 목표하는 제품을 몇 개, 몇 종류를 시작할지 선택해야 합니다. 브랜드를 만들어 제품을 시작하고 싶다면 제품 생산 협상을 잘해야 합니다. 최소 수량으로 저렴하게 생산 혹은 구매하여 시작해야 합니다.

대입해보기)

_____

_____

_____

기존 사업과의 관련성

현재 시장에서 판매되는 제품 혹은 서비스라면 내 사업 아이템과의 차별성 혹은 관련성을 찾아야 합니다. 차별성은 우리 브랜드만의 특징이므로 적극적으로 홍보에 활용하며 관련성을 찾아야 합니다. 관련성이라면 예를 들어 딥오션 선스크린은 서핑 매장과 협업을 집행합니다. 이처럼 타 브랜드 혹은 기업과의 협업이 가능하기에 연관된 사업을 잘 찾아보고 고민해야 합니다.

1인 기업, 1천만 원으로 충분하다

대입해보기)

_____

_____

_____

경쟁자의 전략

경쟁사의 전략을 확인하여 우리 제품을 어떤 방법으로 마케팅할지 선택해야 합니다. 작은 시장을 대상으로 시작하는 작은 브랜드는 대기업과의 경쟁을 최대한 피하는 방법을 선택하는 것이 좋습니다. 규모의 경제에서 살아남기 힘들기에 대기업 브랜드가 집중하는 곳이 아닌 좁은 시장을 타겟으로 먼저 시장을 선점하는 것이 좋습니다.

대입해보기)

_____

_____

_____

제품 수명 주기

우리 제품의 수명은 얼마인가? 유통기한이 있다면 얼마나 되는가? 등을 확인하여 제품을 생산하고 최대한 빨리 판매하여 매출을 올려야 합니다. 제품의 변질 위험이 없는 철물점과 같은 아이템이 아니라면 최대한 빨리 팔고 재생산해야 합니다. 소비자의 선택에서 유통기한과 생산 일자는 매우 중요한 포인트가 됩니다. 시간에 쫓기는 것이 어렵다면 철물점과 같은 상품군으로 시작하는 것도 좋은 방법입니다.

대입해보기)

_____

_____

_____

_____

2) 표적 시장 선정 전략

단일 표적 시장

집중 공략, 경쟁 우위 확보, 높은 수익 창출, 대기업 진출 시 대처 방법 등이 있습니다. 단일 표적 시장으로 브랜드 확장 전략을 세웠다면 세분화된 틈새시장을 노려야 합니다.

다수 표적 시장

둘 이상의 세분 시장에 동시 접근하는 것이며, 자금 소모가 큽니다. 세분화된 시장 여럿을 가진 제품이라면 일반적인 제품으로 타켓 시장이 설정되어 있지 않은 상태입니다. 따라서 소비자들에게 선택을 받기 위해서는 광고비, 마케팅비 지출이 큽니다. 즉 대기업과의 정면 대결에서 이길 수 있는 자본력과 시스템이 준비되어 있어야 합니다.

비차별적 전략

세분 시장 간의 차이를 무시하고 전체 세분 시장에 대해 하나의 마케팅 프로그램을 적용하는 전략입니다. 제약 회사에서 약을 판매하는 루트인 약국을 활용하여 제약뿐만 아니라 건강 보조제품 등을 개발하여 판매하는 방식입니다. 이미 확보된 안전한 루트를 통하여 기존 제품군에 새로운 제품을 개발하여 끼워 넣는 것으로, 1인 창업자가 도전하기에는 어려운 방법입니다. 다만 기존 회사에서의 직무의 연장선에서 창업을 하는 경우라면 매우 유리한 방법입니다.

단일 시장에서 다수 시장으로 가는 것이 적합합니다. 단일 시장에서 존재를 드러내 소비자들에게 인식을 심어 주고 세분 시장을 하나둘씩 늘리는 것이 적합합니다.

4

법적 요건과
기업 등록 절차를 확인하라

1) 사업자 등록

간이 과세

간이 과세란? 사업 규모가 영세한 사업자에 대해 편의를 도모하고 세 부담을 덜어 주기 위해 마련된 제도로, 직전 연도 매출액(부가세 포함)이 4,800만 원 미만인 개인 사업자는 간이 과세자에 해당됩니다. 처음 사업을 시작하는 개인 사업자는 직전 연도 매출액이 없기 때문에 간이 과세자로 등록할 수 있습니다. 다만 무역업과 같이 몇몇 업종은 간이 과세자 등록이 불가능하므로 일반 사업자로 등록해야 합니다.

간이 과세자의 부가세 신고

개인 사업자 중 일반 과세자는 부가세를 1년에 두 번 신고하지만, 간이 과세자는 매년 1월 1일에서 25일까지 딱 한 번만 신고하면 됩니다. 다만 업종별로 부가가치율이라는 것을 곱해서 세액을 계산한다는 점과, 부가세 신고 결과 환급이 발생해도 환급을 받을 수 없다는 점에서 일반 과세자와 차이가 있습니다.

매입 금액이 크면 일반 과세자는 세액 환급을 받지만 간이 과세자는 환급을 못 받습니다.

예를 들어 선크림 생산 비용으로 제품 생산 비용 1억 원, 부가세 1천만 원을 매입 자금으로 사용했다면 부가세 10%를 환급받아 1천만 원 환급금이 생기지만 간이 과세자는 1천만 원의 부가세 환급금을 받을 수 없습니다.

간이 과세자는 매출액이 기준액을 넘을 경우, 자동으로 일반 과세자로 전환됩니다. 일반 과세자로 시작하였다가 간이 과세 기준에 해당될 경우 간이 과세자로 전환할 수 있고, 간이 과세를 포기하고 일반 과세자가 될 수도 있습니다.

사업자 등록 절차

사업 개시부터 20일 이내에 사업자 등록 신청서를 사업장 소재지 관할 세무서장에게 제출하면 됩니다.

관할 세무서(강동, 강남, 강서 등) 민원실에 가서 "사업자 등록하려고 왔습니다."라고 하고 등록 창구에 가서 준비한 서류를 제출하면 됩니다.

준비 서류

① 사업자 본인 신분증

부득이하게 본인이 방문하지 못하고 대리인이 방문하는 경우에는 아래와 같이 준비합니다.

② 사업자 본인 서명이나 날인이 들어간 위임장

③ 사업자 본인 신분증 사본

④ 대리인 신분증

⑤ 사업자 등록 신청서

사업자 등록 신청서는 국세청 사이트에서 양식을 다운받아 미리 작성

하여 가져가도 되고, 세무서에서 작성하여도 됩니다.

⑥ 임대차 계약서 사본

사업장 소재지를 임차하는 경우, 날인된 임대차 계약서 복사본을 제

출해야 합니다.

온라인 홈택스 신청 방법

https://www.hometax.go.kr

신청에 필요한 서류를 파일로 변환하여 로그인하고 사업자 등록/신청/

정정 메뉴를 클릭하여 접속합니다.

홈택스 메인 페이지

5

지적재산권 보호와
특허 등록을 준비하라

키프리스 활용

http://www.kipris.or.kr/khome/main.jsp

상표 등록은 매우 중요합니다. 우리 주변에서 쉽게 볼 수 있는 상표권 관련 이슈들이 있습니다. 어렵게 제품을 개발하고 브랜드를 키웠으나 상표 등록을 하지 않아서 문제가 되는 경우가 많습니다.

상표를 국내에 먼저 출원하고 수출을 고민한다면 해외 타겟 시장을 설정하여 타겟 시장에도 상표권을 설정하는 것을 추천드립니다. 위셀호프는 대한민국을 제외하고 세계 40여 개 국가에 상표권을 등록하였습니다. '마드리드 협약'을 확인하시고 국내 상표권을 먼저 등록 후 원하는 국가에 상표권을 설정하시는 것을 추천드립니다.

'키프리스'를 활용하여 등록을 희망하는 상표가 현재 등록이 되어있는지 살펴봐야 합니다. 현재 사용 중인 상표는 동일 상표로 등록이 거절됩니다. 상표를 구상하고 키프리스를 꼼꼼히 살펴서 진행해야 합니다. 키프리스는 특허, 실용신안, 디자인, 상표, 해외 특허, 해외 상표, 해외 디자인을 모두 확인할 수 있습니다. 국내 및 해외 모두 가능하니 꼼꼼히 체크하여 진행하시길 바랍니다.

키프리스 메인 페이지

키프리스 상표권 검색 페이지

1인 기업, 1천만 원으로 충분하다

특허로

https://www.patent.go.kr/smart/portal/Main.do

특허로에 회원 가입을 합니다. 원하는 디자인이나 특허를 키프리스에서 확인하고 동일한 등록된 내용이 없다면 특허로에서 특허 및 디자인을 신청합니다. 처음에는 변리사를 통하여 등록했었습니다. 두 번째 신청할 때는 특허로에서 직접 신청하였습니다. 상표권을 등록하면 보통 1년 정도 걸리며 우선 신청을 하면 6개월로 시일이 줄어들지만 비용은 증가합니다. 처음이라면 변리사 사무실을 통하여 진행하여 과정을 익히고 이후 두 번째 등록할 때는 스스로 진행을 해 보시는 것도 좋습니다. 막상 해보면 어렵지 않습니다. 온라인에서 검색하면 쉽게 따라 할 수 있는 동영상 교육이 있습니다. 머리로만 생각하지 말고 특허 및 상표권을 등록하셔서 지적재산권을 미리미리 지켜야 합니다.

특허로 메인 페이지

특허로 상표권 출원 페이지

1인 기업, 1천만 원으로 충분하다

자기 관리

루틴

STEP

관리의 힘은 크다

1

스트레스
관리하기

1) 심리학

아니 땐 굴뚝에 연기 나랴

해군 해상병 면접을 보러 갔습니다. 피면접자 5명이 서 있으면 면접관이 한 명씩 돌아가며 서로 다른 질문을 했습니다. 피면접자 뒤로는 대기자들이 앉아 있어 모두 대답을 들을 수 있는 구조였습니다.

제가 받은 질문은 "가장 좋아하는 속담을 말하고 이유를 설명하시오."였습니다. 얼떨결에 대답을 "아니 땐 굴뚝에 연기 나랴."로 하였고 부연 설명으로는 '본인 스스로 초래한 일은 책임져야 한다.'라고 했습니다.

뒤에는 내 대답을 듣고 있는 면접 대기자들이 있고, 앞에는 나를 평가하는 사람들이 있었습니다. 나에게 주어진 대답의 시간은 짧았기에 최대한 정확한 대답을 해야 했습니다. 당당하게 가슴을 펴고 큰 목소리로 대답하였습니다. 저의 대답에 여기저기서 웃음이 터져 나왔지만 저는 입대했습니다.

심리적 불안감이 크면 신체적 불안감이 증가하여 땀이 나거나 다리를 떨거나 화장실을 자주 가는 등의 다양한 형태로 나타납니다. 면접을 보기 위해 순서를 기다리는 동안에 떨리고 머릿속이 텅 빈 것 같은 경험이 있습니다. 누구나 한 번쯤은 겪는 불안감입니다. 심장이 빨리 뛰는 심리적 불안을 이기는 방법으로 자주 사용했던 것은 스스로에게 자신감을 불어넣는 마법의 주문이었습니다.

그것은 '거짓 없이 정정당당하게 승부한다.'였으며 면접에 임할 때는 가슴을 펴고 당당한 걸음걸이와 곧은 자세를 유지했습니다.

멘탈 관리의 중요성

1인 기업가는 주도적으로 일을 추진하고, 다양한 역할을 수행하는 동안 많은 압박과 스트레스를 경험합니다. 이로 인해 우울감, 불안감, 피로감, 집중력 저하 등의 심리학적인 증상이 나타날 수 있습니다. 멘탈의 불안정으로 인해 업무 수행 능력이 떨어지고 창의력이 저하될 수 있으며, 일상적인 업무에서도 예민하고 과민한 반응을 보일 수 있습니다. 이로 인해 비효율적인 업무 운영과 실수를 유발할 수 있습니다.

따라서 1인 기업가의 멘탈 안정과 긍정적인 심리 상태를 유지하는 것이 중요합니다. 멘탈 관리를 통해 스트레스를 효과적으로 관리하고 자아실현을 도모할 수 있으며, 자신의 목표에 집중하고 동기 부여를 유지할 수 있습니다. 또한, 심리적인 안정은 창의적인 사고와 문제 해결 능력을 향상시키는 데 도움이 됩니다.

이러한 심리학적인 증상과 영향을 극복하고 1인 기업가의 멘탈을 관리하

고 강화하기 위해 다음과 같은 효과적인 방법들을 적용할 수 있습니다

스트레스 관리

일상적인 스트레스를 완화하기 위해 명상, 숨쉬기 연습, 운동 등의 스트레스 관리 루틴을 수행합니다. 자신만의 스트레스 해소 방법을 찾아 두고 필요할 때 적절하게 활용합니다.

① 긍정적인 자기 주문

자신에 대한 부정적인 생각을 긍정적인 방향으로 바꾸어 줍니다. 자신의 강점과 성취를 인식하고, 실패와 어려움을 배움의 기회로 바라봅니다.

② 휴식과 균형 유지

업무와 개인 생활 사이 균형을 유지하는 것이 중요합니다. 휴식과 취미에 충분한 시간을 할애하고, 가족, 친구, 취미 등의 활동을 통해 재충전합니다.

③ 전문적인 도움

필요할 때 전문가의 도움을 받아 심리 상담을 받거나 멘토링을 받습니다. 전문가 혹은 선생님과 선배의 조언 및 지도는 멘탈 관리에 큰 도움을 줄 수 있습니다.

④ 목표 설정과 자기 관리

명확한 목표를 설정하고 계획을 세우는 것은 멘탈 강화에 중요합니다. 스스로를 관리하고 자기 계발을 위해 시간과 노력을 투자합니다. 감정에 나사가 빠지는 것을 잡아 단단한 마음가짐을 유지하기 위해서는 목표로 나아가고 있다는 확신이 있어야 합니다.

⑤ 긍정적인 환경 조성

자신을 둘러싸는 환경을 긍정적으로 조성합니다. 긍정적인 동료와의 교류, 동기 부여를 얻을 수 있는 자극적인 공간 조성 등을 고려합니다.

2) 스트레스 관리

사람에 따라 스트레스를 받는 강도와 푸는 방법은 다양합니다. 노래방에서 소리를 지를 수도 있고, 스포츠를 즐길 수 있으며, 술을 마시거나 매운 음식을 먹기도 합니다. 자신만의 스트레스 해소 방법을 익혀야 마음을 잘 다스릴 수 있습니다.

저는 권투를 했습니다. 일이 안 풀리고, 머리가 아프고, 자금의 압박이 있고, 사업은 뒷걸음질 치는 듯한 상황에서 권투 체육관에서 샌드백을 두드리고 줄넘기를 하고 러닝머신을 뛰면 신체가 너무 힘들어 스트레스를 잊곤 했습니다.

1인 기업, 1천만 원으로 충분하다

스트레스 지수 테스트

1인 기업가는 업무의 압박과 독립적인 결정에 대한 책임으로 인해 다양한 스트레스 증상을 경험할 수 있습니다. 이는 피로감, 피부 문제, 소화 문제, 수면 장애, 우울감, 불안감, 집중력 저하 등으로 나타날 수 있습니다.

스트레스를 정량화하기 위해 스트레스 지수 테스트를 활용할 수 있습니다. 이는 개인의 스트레스 수준을 파악하고, 어떤 측면에서 스트레스를 경험하고 있는지를 알려 줍니다. 스트레스 지수 테스트를 통해 개인의 스트레스 레벨을 파악하고 적절한 대응을 할 수 있습니다.

스트레스 지수 테스트는 온라인에서 검색하여 쉽게 테스트할 수 있습니다. 테스트를 해 보고 자신의 심리 상태를 파악해야 합니다.

스트레스 해소 방법

스트레스를 효과적으로 해소하기 위해 다음과 같은 방법들을 고려할 수 있습니다.

① 신체적인 활동

정기적인 운동이나 활동을 통해 신체적인 스트레스를 해소합니다. 운동은 신체의 호르몬 및 노화를 억제하고, 긍정적인 기분을 유지하는 데 도움을 줍니다.

② 심리적인 지원

가족, 친구, 동료 등과 대화하거나 상담을 받는 것은 스트레스를 해소하는 데 도움이 됩니다. 감정을 털어놓고 공감을 얻는 것은 심리적인 안정을 가져다줄 수 있습니다.

③ 시간 관리

업무와 개인 생활을 균형 있게 조절하는 것이 중요합니다. 효과적인 시간 관리를 통해 업무에 집중하고 적절한 휴식과 여가 시간을 확보합니다.

④ 스트레스 관리 기술

명상, 숨쉬기 연습 등의 스트레스 관리 기술을 활용합니다. 이러한 기술은 마음과 몸을 집중시키고 긴장을 완화하여 스트레스를 해소하는 데 도움을 줍니다.

3) 운동

취미로 즐기는 운동, 건강을 위해 반드시 해야 하는 운동, 체력이나 몸매를 위한 운동 등 운동을 즐기고 시간을 쏟는 사람이 있는가 하면, 운동과는 담을 쌓고 사는 사람이 있습니다. 식습관과 운동 수행의 여부가 일을 지속하는 체력을 결정짓습니다.

1인 기업가는 반드시 운동을 해야 합니다. 일주일에 3번 정도가 적당하며 체력 유지에 도움이 됩니다. 운동에 너무 많은 시간과 에너지를 쏟지 않게 주의해야 하고, 또 운동을 쉽게 포기하지 말아야 합니다.

운동은 신체적인 건강을 촉진하는 것뿐만 아니라, 심리적인 면에서도 많은 이점을 제공합니다. 운동은 스트레스를 감소시키고 긍정적인 감정을 유발하는 데 도움을 줍니다. 또한, 집중력과 기억력, 자존감과 자신감을 향상시킵니다.

운동의 종류

운동을 선택할 때에는 자신에게 맞는 유형과 흥미로운 활동을 선택하는 것이 중요합니다. 육체적인 활동은 달리기, 걷기, 수영, 사이클링 등 다양한 형태로 이루어질 수 있으며, 정신적인 활동으로는 요가, 태극권, 명상 등을 고려할 수 있습니다. 자신이 즐기는 운동을 선택하여 지속적인 참여를 도모하는 것이 중요합니다.

① 운동과 스트레스 관리

운동은 스트레스 관리에 매우 효과적입니다. 운동을 통해 신체적인 긴장을 풀고, 마음을 집중시키며, 긍정적인 감정을 유발합니다. 또한, 운동은 스트레스 호르몬인 코르티솔의 분비를 감소시키고, 심리적 안정감과 평온함을 가져다줍니다.

② 운동과 자기 관리

운동은 자기 관리의 중요한 요소입니다. 정기적인 운동은 건강한 생활 습관을 형성하고, 자기 통제력을 강화하는 데 도움을 줍니다. 운동뿐만 아니라 자기 관리의 일환으로 충분한 휴식과 영양 섭취, 충분한 수면을 유지하는 것이 중요합니다.

③ 운동과 창의적인 사고

운동은 창의적인 사고와 관련이 있습니다. 운동을 통해 뇌의 혈류가 증가하고, 뉴런의 연결성이 증가함으로써 창의적인 사고를 촉진하는 데 도움을 줍니다. 운동 후에는 새로운 아이디어가 떠오르고 문제 해결 능력이 향상될 수 있습니다.

④ 운동과 사회적인 연결

운동은 사회적인 연결을 형성하고 유지하는 데 효과적입니다. 운동은 그룹 활동이나 동호회 등의 형태로 이루어질 수 있으며, 다른 사람들과의 교류와 협력을 통해 사회적인 연결을 강화하는 데 도움을 줍니다.

⑤ 운동 일정과 자기 동기 부여

운동을 일정에 포함시키고 자기 동기 부여를 위해 목표를 설정하는 것이 중요합니다. 운동을 꾸준히 지속하기 위해서는 자신에게 맞는 운동 일정을 만들고, 목표를 세워 동기 부여를 유지해야 합니다. 목표 달성을 위한 측정 가능한 지표와 보상 체계를 도입하여 지속적인 동기 부여를 받을 수 있습니다.

4) 수면

잠을 얼마나 주무시나요? 수면의 질은 어떻습니까? 불면증이 있으신가요? 수면은 매우 중요합니다. 잠을 못 자면 다음 날 두뇌 회전이 느리고 멍한 상태로 하루를 낭비하게 됩니다. 입시 공부할 때의 '4당 5락'은 체력이 받쳐 주는 청소년기에 해당하는 말입니다.

극심한 스트레스로 불면증을 앓던 때였습니다. 걱정에 사로잡혀 잠을 못 자던 시기에 선배로부터 쉽고 명쾌한 이야기를 들었던 기억이 있습니다. "네가 걱정하며 잠을 안 잔다고 될 일이 안 될 것도 아니고, 안 될 일이 될 것도 아니니 씻고 자라."였습니다. 네, 맞는 이야기입니다.

스트레스와 근심 걱정이 쌓이면 생각이 꼬리에 꼬리를 물어 잠을 잘 수 없게 됩니다. 잠을 못 자고 있다면 따뜻한 차를 한 잔 마시고 샤워를 하고 양치를 한 후, 숨을 편안하게 뱉으며 몸에 힘을 빼면 잠들 수 있습니다. 지금 바로 해 보세요.

잠을 이루기 어렵다면 얼굴 림프 마사지나 경혈 마사지를 해 보는 것도 좋은 방법입니다. 얼굴과 머리의 혈액 순환을 돕기 때문입니다.

수면은 신체와 정신의 회복을 위해 필요한 과정입니다. 충분하고 좋은 수면은 멘탈을 향상시키고, 집중력과 기억력을 향상시키며, 스트레스를 감소시킵니다. 수면 부족은 몸과 마음에 부정적인 영향을 미치며, 생산성과 창의성을 저하시킬 수 있습니다.

① 규칙적인 수면 패턴

규칙적인 수면 패턴을 형성하는 것이 중요합니다. 일정한 수면 시간을 유지하고, 잠들기 전에 일관된 루틴을 만들어 슬립 사이클을 조절할 수 있습니다. 이를 통해 자연스럽게 수면을 유도하고 깊은 휴식을 취할 수 있습니다.

② 수면 환경 조성

편안하고 조용한 수면 환경을 조성하는 것이 중요합니다. 편안한 매트리스와 베개, 어둡고 시원한 방 온도, 조용한 환경 등을 갖추어 편안한 수면을 유도할 수 있습니다. 또한, 디지털 기기와의 거리를 유지하고 수면 전에 사용 시간을 제한하는 것도 도움이 됩니다.

③ 수면 전 루틴

수면 전에는 휴식과 이완을 위한 루틴을 만들어야 합니다. 스트레스를 해소할 수 있는 활동을 선택하고, 심신을 이완시키는 명상이나 요가와 같은 활동을 시도할 수 있습니다. 수면 전에는 카페인과 알코올을 피하고, 가벼운 스낵과 차를 선택하여 수면 효과를 극대화할 수 있습니다.

④ 스트레스 관리와 수면

스트레스는 수면에 부정적인 영향을 미칠 수 있습니다. 스트레스 관리 방법을 통해 수면을 개선할 수 있습니다. 스트레스 관리 활동을 도입하고, 문제 해결 능력을 향상시켜 스트레스를 줄일 수 있습니다. 또한, 수면 전에 스트레스를 해소하는 활동이나 루틴을 추가하여 수면의 질을 개선할 수 있습니다.

⑤ 건강한 생활 습관

건강한 생활 습관은 수면의 질에 직접적인 영향을 미칩니다. 규칙적인 운동, 균형 잡힌 식단, 금주와 금연은 수면을 개선할 수 있는 중요한 요소입니다. 또한, 수면을 위해 충분한 수분 섭취와 활동적인 일상생활을 유지하는 것도 도움이 됩니다.

⑥ 수면 트래킹과 개선

수면 트래킹은 자신의 수면 습관을 파악하고 개선하기 위한 유용한 도구입니다. 수면 트래킹 앱이나 기기를 활용하여 수면 패턴, 수면의 질, 꿈, 기상 시간 등을 기록하고 분석할 수 있습니다. 이를 통해 개인의 수면 패턴을 파악하고 개선 방안을 모색할 수 있습니다.

5) 긍정적 생각

때문에 말고 덕분에

"너 때문이야, 당신 때문이야, 협력사 때문이야."

'누구 때문'이라고 말하는 것은 책임의 전가로 자신은 현 상황에서 책임이 없고 단지 타인에 의한 피해자임을 명시하는 단어입니다. 때문이라고 책임을 넘겨 버리면 매우 쉽습니다. 마치 '짜증 나.'와 비슷한 마법의 단어입니다. 무엇 때문에, 왜, 어떤 기분인지 말하지 않고 "짜증 나!" 이 한마디로 모든 상황을 종결하고 상대방에게는 '알아서 이해해라.' 하는 이기적인 태도가 됩니다.

이와 반면 '덕분에'는 외부에서 책임을 찾지 않고 감사함을 찾으려는 태도에서 나오는 단어입니다. 선생님 덕분에, 당신 덕분에, 협력사 덕분에 상대에게 공을 돌리려는 태도입니다.

사업을 시작하기 전에 회사 생활을 할 때였습니다. 협력사와 협상은 잘되지 않았습니다. 협상을 마치고 같이 갔던 사수와 차를 타고 오던 중 회의에 대한 이야기가 나왔고 그 회사 덕분이라고 말하자 "덕분은 무슨 덕분이야!"라며 혼이 났습니다. 즉, 언어는 습관이며 태도입니다.

제가 쓰지 않는 몇몇 단어가 있습니다.

'~ 때문에, ~같습니다, ~같아요.' 남 탓을 하거나 확신이 없는 답변이기 때문입니다.

긍정적인 마인드셋의 중요성

긍정적인 마인드셋은 멘탈 관리의 핵심 요소입니다. 긍정적인 태도와 관점은 문제를 해결하는 데 도움을 주며, 스트레스를 완화시키고 자신감을 향상시킵니다. 긍정적인 마인드셋은 실패를 배움의 기회로 바라보고, 도전을 기회로 인식하는 자세를 가질 수 있도록 도와줍니다.

긍정적인 생각은 신체와 정신에도 긍정적인 영향을 미칩니다. 긍정적인 생각은 스트레스를 감소시키고 멘탈의 안정과 평온을 유지하는 데 도움을 줍니다. 긍정적인 생각은 자신의 역량을 인식하고, 문제에 대한 창의적인 해결책을 모색하는 능력을 향상시킵니다.

① 긍정적인 자기 이미지

긍정적인 자기 이미지는 멘탈 강화에 매우 중요합니다. 자신을 긍정적으로 인식하고 자신에게 자신감을 갖는 것은 성공과 성취를 이루는 데 효과적입니다. 긍정적인 자기 이미지를 형성하기 위해서는 자기에 대한 긍정적인 태도와 자세를 유지해야 합니다.

② 긍정적인 언어와 표현

긍정적인 언어와 표현은 자신과 주변 사람들에게 긍정적인 영향을 미칩니다. 자신에게 긍정적인 자아 상승감을 주며, 타인과의 소통을 원활하게 하고 협력을 촉진합니다. 이를 통해 자신과 주변의 에너지를 긍정적인 방향으로 유도할 수 있습니다.

③ 실패에 대한 긍정적인 시각

실패는 성공의 필수적인 부분입니다. 긍정적인 시각을 통해 실패를 배움의 기회로 인식하고, 성장과 개선의 기회로 삼을 수 있습니다. 실패에 대한 긍정적인 시각을 가지고 재도전하고, 문제 해결 능력을 강화할 수 있습니다. 실패를 경험하면 부족함을 알게 됩니다. 부족한 부분은 채우면 됩니다.

④ 긍정적인 생각의 유지

긍정적인 생각을 유지하는 것은 지속적인 멘탈 관리의 중요한 요소입니다. 일상생활에서 긍정적인 사건이나 성취를 인식하고 기록하는 것이 도움이 됩니다. 그리고 부정적인 생각이나 자극에 대한 긍정적인 대처 방법을 학습하고 실천하는 것도 중요합니다.

⑤ 긍정적인 영향력

긍정적인 자세를 가진 사람은 주변 사람들에게도 긍정적인 영향력을 미칠 수 있습니다. 자신의 경험과 이야기를 공유하고, 다른 사람들을 격려하고 도와줌으로써 긍정적인 에너지를 전파할 수 있습니다.

6) 명상

책상에 앉아 눈을 감고 1~2분만 생각을 정리해 보세요. 명상을 수행하기 힘들다면 걸으면서 생각을 정리하는 것도 좋습니다. 걷기를 하면 머리가 맑아집니다. 풀리지 않는 문제는 걷기를 통해서 해결해 보세요.

① 명상의 이점

명상은 멘탈 관리에 매우 효과적입니다. 명상을 통해 마음을 집중시키고, 정신적인 안정과 평온함을 찾을 수 있습니다. 명상은 스트레스를 감소시키고 긍정적인 감정을 유발하며, 집중력과 창의력을 향상시키는 데 도움을 줍니다.

② 명상 기법과 종류

명상은 다양한 기법과 형태로 이루어질 수 있습니다. 정적 명상인 '주의 집중 명상'은 한 가지 대상에 집중하여 마음을 안정시키는 것을 목표로 합니다. 동적 명상인 '움직이는 명상'은 몸을 움직이는 활동을 통해 정신을 집중시키는 것을 목표로 합니다. 기타 명상 기법으로는 호흡 명상, 명상 음악 청취, 걷기 명상 등이 있습니다.

③ 명상과 스트레스 관리

명상은 스트레스 관리에 매우 효과적입니다. 명상을 통해 마음과 몸을 이완시키고 스트레스를 해소할 수 있습니다. 명상은 호르몬 분비를 조절하고 자율신경계를 안정시켜 신체적인 긴장을 풀어 줍니다. 일상생활에서의 스트레스 상황에서 명상을 활용하여 집중력과 창의력을 회복할 수 있습니다.

④ 명상과 집중력 강화

명상은 집중력을 강화하는 데 도움을 줍니다. 명상을 통해 마음을 집중시키고, 생각과 감정에 대한 통제력을 향상시킵니다. 명상은 사고의 흐름을 관찰하고, 현재의 순간에 집중하는 능력을 키워 줍니다. 이는 업무에 집중하고 문제를 해결하는 데 보탬이 될 수 있습니다.

⑤ 명상과 창의적인 사고

명상은 창의적인 사고를 촉진하는 데 도움을 줍니다. 명상을 통해 마음을 정화시키고, 마음의 자유로움과 상상력을 활성화시킵니다. 명상 후에는 새로운 아이디어가 떠오르고, 문제 해결 능력이 향상될 수 있습니다.

⑥ 명상과 자기 관리

명상은 자기 관리의 중요한 요소입니다. 정기적인 명상 실천은 멘탈과 정신적인 건강을 유지하는 데 도움을 줍니다. 명상을 통해 자기 감시와 자기 관찰을 실천하고, 자기에 대한 이해와 성장을 도모할 수 있습니다.

⑦ 명상 일정과 일상생활에 통합

　명상을 효과적으로 실천하기 위해서는 일상생활에 정기적인 명상 시간을 통합시키는 것이 중요합니다. 명상을 일상 루틴에 포함시키고, 명상을 위한 공간을 마련하는 것이 도움이 됩니다. 명상은 잠재력을 발휘하기 위해 일관된 실천이 필요한 실천적인 활동입니다.

2
자기 계발 하기

1) 자기 계발

중국어를 배우기 위해 종로 파고다 학원 새벽반을 다닌 경험이 있습니다. 영어는 어느 정도 했기 때문에 중국어를 배워서 중국 바이어와 직접 소통하고 싶었습니다. 기초 새벽반은 출근하기 전에 공부를 하고 출근하는 사람들이 듣는 강의입니다. 기초 1을 수강할 때 20여 명이 있었습니다. 1개월 후 기초 2를 수강할 때 절반 정도인 10명이 남았습니다. 2개월 후 기초 3을 수강할 때 저를 포함하여 4명밖에 남지 않아 강의가 폐강되었습니다. 이는 사람들의 꾸준함을 잘 보여 줍니다. 자기 계발은 스스로와의 약속입니다. 꾸준히 정진해야 빛을 발합니다.

자연재해가 빈번히 발생하는 것을 보고 '농산물품질관리사'와 '손해평가사'를 공부했습니다. 시험을 등록하면서 시험 전까지 업무 시간을 제외하면 공부를 해야 했고, 술자리를 자연스럽게 줄이게 되었습니다. 모르는 사실을 알아가고, 새로이 알게 된 정보는 또 다른 사업의 기회를 열어 주었습니다.

일 년에 60~70권의 독서를 꾸준히 했습니다. 대학 1학년인 20세 때부터 꾸준히 읽으며 정리한 독서 기록은 19년이 지난 지금 엄청난 자산이 되었습니다. 운동, 독서, 공부 이 3가지는 요람에서 무덤까지 꾸준히 해야 합니다. 지금은 티가 나지 않지만 10년, 20년 뒤에는 아무것도 하지 않은 사람과 분명히 다른 결과를 만들어 냅니다.

① 자기 객관화와 목표 설정

자기 계발의 출발점은 자기 객관화입니다. 자기 객관화를 통해 우리는 강점과 약점을 파악하고 개발할 영역을 정할 수 있습니다. 명확한 목표를 설정하고 그에 따른 계획을 수립하는 것은 자기 계발의 첫걸음입니다. 필요한 것, 해야 하는 것, 할 수 있는 일을 다이어리에 적어 보고 차근차근 쉬운 것부터 이루어 나가야 합니다.

② 지속적인 학습과 독서

자기 계발은 지속적인 학습과 독서를 통해 이루어집니다. 새로운 지식과 기술을 습득하고 전문성을 향상시키는 것은 성장과 발전을 이루는 핵심 요소입니다. 독서는 내가 해본 경험이 아닌 나보다 똑똑한 사람이 경험과 공부를 통하여 이룩해 놓은 지식의 보고입니다. 독서를 통하여 지식을 가능한 한 많이 습득하세요.

③ 멘토링과 코칭

멘토링과 코칭은 자기 계발에 큰 도움이 됩니다. 경험 많은 사람들로부터 조언과 지도를 받고 지속적인 피드백을 받는 것은 개인의 성장과 발전을 가속화하는 데 도움을 줍니다. 멘토링을 해줄 멘토가 있다면 성공한 인생을 살았다는 증거입니다. 사람들은 쉽사리 시간과 비용을 들여가며 누군가를 도와주거나 지식을 나누어 주지 않습니다. 독서 모임에 꾸준히 참여해 보는 것도 좋은 방법입니다. 그곳에서 똑똑한 사람을 찾아 배우세요.

④ 네트워킹과 협업

네트워킹과 협업은 중요한 요소입니다. 다양한 사람과의 관계를 형성하고 협업을 통해 새로운 아이디어와 지식을 얻는 것은 개인의 성장과 발전을 촉진시키는 데 도움을 줍니다. 독서 모임에서 만난 사람들이 모여 각자의 주제로 글을 써서 한 권의 책을 만들어 보는 경험을 한다면 책과 글에 대한 인식의 변화는 물론이고 협업을 진행한 팀의 네트워크도 굳건해질 것입니다. 협업을 통하여 모르는 것을 배우고, 내가 가르쳐 줄 수 있는 부분이 있다면 나의 지식과 경험을 사람들과 나누세요.

⑤ 습관과 루틴의 형성

자기 계발은 습관과 루틴의 형성을 통해 이루어집니다. 일상적인 활동을 통해 지속적인 개선을 이루는 것은 성장과 발전을 유지하는 데 중요합니다. 매일 쌓아가는 운동과 독서를 잊지 마세요. 자격증에 도전하는 것도 좋은 자기 계발입니다.

⑥ 실패와 교훈

자기 계발은 실패와 교훈을 통해 이루어집니다. 실패를 통해 배우고 성장하는 자세를 갖는 것은 지속적인 개발과 발전을 이루는 데 도움이 됩니다. 자격증 획득에 실패했다면 내년이 있습니다. 내년에 다시 도전하면 됩니다. 자격증 시험에 떨어졌다고 너무 실망하지 마세요. 도전했다는 그 자체로도 박수받을 일입니다.

2) 시간 관리

일과를 표로 만들어 체크 리스트화하여야 합니다. 시간을 관리하기 위해서는 시, 분을 나누어 기록하는 습관이 필요합니다. 시와 분을 나누어서 해야 할 일을 기록하고 수행하는 일을 반복하면 낭비되는 시간을 잡을 수 있습니다.

이러한 시간 관리는 하루를 24시간이 아닌 36시간처럼 쓸 수 있게 해줍니다. 낭비되는 시간을 잡아내고 해야 하는 일을 우선순위에 맞게 결정하여 일을 진행하면 실수와 실패가 줄어듭니다.

시간과 분을 나누기 어렵다면 다이어리에 오늘의 우선순위로 업무 순서를 정하고, 해당 업무를 마무리하고 나서 마무리한 시간을 빨간 볼펜으로 기록해 보는 것도 좋습니다. 빨간 볼펜으로 시간을 기록한 다이어리는 낭비하는 시간을 잡아 주는 좋은 제한선과 같은 역할을 합니다. 빨간색으로 표시되는 시간 기록에서 낭비는 너무 티가 나기 때문입니다.

시간 관리의 중요성

개인적인 생활과 업무에 필요한 핵심 능력입니다. 시간을 효과적으로 관리하는 것은 업무의 우선순위를 설정하고 중요한 작업에 집중하는 데 필수적입니다.

① 우선순위 설정

중요한 작업과 긴급한 작업을 선정하고 우선 처리하는 것은 시간을 효과적으로 활용하는 데 도움을 줍니다.

② 계획과 일정 관리

시간을 효과적으로 관리하기 위해서는 계획과 일정 관리가 필요합니다. 작업을 계획하고 일정을 설정하여 목표를 달성하는 데 도움이 됩니다.

③ 내 시간을 알고 활용하기

시간을 효과적으로 관리하기 위해서는 내 시간을 알고 활용해야 합니다. 개인적인 시간의 흐름과 생산성 패턴을 파악하고 스스로의 최적의 작업 시간을 찾아 활용하는 것은 시간을 효과적으로 관리할 수 있게 만듭니다. 새

1인 기업, 1천만 원으로 충분하다

벽에 집중이 잘 되는 사람이 있고 오후에 집중이 잘되는 사람이 있습니다. 자신의 집중력이 높아지는 시간을 알고 활용한다면 시간을 효율적으로 사용할 수 있게 됩니다.

④ 중요한 작업에 집중

중요한 작업에 집중하는 것이 필요합니다. 작업에 집중하고 다른 요소로부터의 분산을 피하는 것은 업무의 효율성을 향상시킵니다. 일의 시간을 효율적으로 배분해야 합니다.

⑤ 일의 조직과 분배

업무를 조직하고 분배하는 것 역시 중요합니다. 업무를 우선순위에 따라 조직하고 필요한 경우 외부의 도움을 받아 작업을 분배하는 것은 시간을 효과적으로 활용하는 데 도움을 줍니다. 1인 기업가가 모든 일을 다 할 수 없습니다. 직원을 채용하기가 부담스럽다면 업무의 일부분은 전문 기관들과 계약을 통하여 업무를 나눠야 합니다. 물류, C/S 등이 대표적입니다.

3) 취미 생활

1인 기업가는 혼자 일합니다. 좋은 취미 생활은 정신과 신체 건강에 도움이 됩니다. 술 마시는 것이 누군가에게는 취미일 수 있으나 다른 취미를 가져 보는 것을 권장합니다. 술은 머리 회전을 느리게 하고 신체를 나른하게 하며 결정이라는 칼날을 무디게 합니다.

운동이나 독서, 영화 감상 등 영혼을 살찌우는 취미를 즐겨 보세요. 스트레스 해소에 효과적입니다. 또한 새로운 것을 배움으로 새로운 사람들과 세상을 만나게 되며 사업의 기회를 찾을 수도 있습니다. 취미는 스트레스를 푸는 방법이 될 수 있고, 아이디어의 원천이 되기도 하며, 인간관계의 시작이 되기도 합니다. 본인 스스로에게 맞는 취미를 갖는 것이 중요합니다. 등산이나 직소 퍼즐 맞추기, 그림 그리기 등 다양한 활동을 경험해 보는 것이 중요합니다. 경험을 쌓다 보면 자신과 제일 잘 맞는 취미를 찾을 수 있습니다.

취미란 건강한 육체와 정신을 만든다

① 스트레스 해소

취미 생활은 스트레스를 해소하고 긍정적인 영향을 미칩니다. 흥미로운 활동에 몰두하면 일상의 스트레스를 잠시 잊을 수 있으며, 긍정적인 감정과 행복을 경험할 수 있습니다. 제가 권투를 시작한 계기는 회사를 다니며 투잡으로 창업했던 맥주 가게에서 맥주를 손님들과 많이 마신 것이었습니다. 이 때문에 체중이 엄청 불어나 다이어트의 일환으로 시작했었습니다. 그 외에도 해외 출장이 잦았기에 스스로를 지킬 만한 호신술의 필요성을 느낀 것도 중요한 이유 중 하나입니다. 이 두 가지를 모두 해결할 수 있으며 동시에 시간제한 없이 편할 때 가서 운동하면 되는 것, 또 장비나 도구에 많은 비용을 소모하지 않아도 되는 것. 이러한 이유를 종합적으로 판단해 선택했습니다.

권투를 하면서 왼쪽 회전근 1번, 오른쪽 회전근 2번, 왼쪽 손목 2번, 오른쪽 손목 2번 근육이 부분 파열되어 근육 주사를 맞았습니다. 취미로 시작했는데 왜 그렇게 열심히 했는가? 샌드백을 치면 근심과 걱정을 할 여유가 없었습니다. 육체적으로 너무 힘들기 때문에 다른 문제를 고민할 수 없었습니다. 그러다 보니 더욱더 빠져들게 되었습니다. 땀을 쭉 흘리고 나면 몸이 나른해지며 근심과 걱정이 해소됨을 느꼈습니다.

② 창의성과 문제 해결 능력 강화
취미 생활은 창의성과 문제 해결 능력을 강화하는 데 도움을 줍니다. 새로운 활동을 배우고 도전하는 과정에서 창의적인 아이디어를 발전시키고 문제를 해결하는 능력을 키울 수 있습니다. 창업 아이템을 고민할 때 권투를 하고 있었고 글러브를 말리고 싶다는 생각에 글러브 건조기를 생각해 냈었습니다. 취미는 모르는 세상을 알려 주고 그 속에서 니즈를 찾을 수 있는 기회를 줍니다.

③ 성취감
취미 생활은 성취감을 얻을 수 있는 기회를 제공합니다. 흥미로운 활동에 몰두하고 개인의 재능과 역량을 발휘하는 것은 자신감과 성취감을 향상시키는 데 도움이 됩니다.

④ 사회적 연결과 네트워킹

취미 생활은 사회적 연결과 네트워킹을 촉진하는 플랫폼을 제공합니다. 관심사가 비슷한 사람들과 함께 활동하면서 소통하고 공유하는 과정은 새로운 인맥을 형성하고 사회적 관계를 발전시키는 데 도움을 줍니다. 살사 댄스를 배우다가 좋은 사람을 만나 결혼을 하거나, 컴퓨터 동아리에서 만나 같이 창업을 하는 경우 등 좋은 선례는 많습니다.

4) 성취감

체크 리스트를 만드는 가장 중요한 요인은 오늘 나는 내가 해야 할 일을 다 했다는 성취감을 느끼기 위함입니다. 작은 일을 성공하여 성취한 기분은 큰일도 할 수 있다는 자신감을 줍니다.

시험에 합격하거나, 원하는 회사나 학교의 문턱을 넘어섰거나, 사업을 시작하여 첫 계약을 하였거나, 체력의 한계를 넘어서는 육체적 발전을 했다면 큰 성취감과 만족감에 황홀한 경험을 하게 됩니다.

이불 정리, 책상 정리와 같은 작은 일을 매일 성취하고 큰일을 꾸준히 준비한다면 그 무엇이든 못 할 일이 없습니다.

이루어냈다는 카타르시스

성취감은 매우 중요한 역할을 합니다. 성취감은 자신에 대한 자신감과 자존감을 향상시키며, 동기 부여와 업무 효율성을 높이는 데 효과적입니다. 성취감은 어려움을 극복하고 목표를 달성하는 데 필요한 동력을 부여하며, 긍정적인 사이클을 형성합니다.

① 목표 설정과 성취감

목표 설정은 성취감을 위한 첫 번째 단계입니다. 명확하고 현실적인 목표를 설정하고 이를 달성하기 위한 계획을 세우는 것이 중요합니다. 목표를 달성하는 과정에서 성장과 발전을 경험하며 성취감을 느낄 수 있습니다.

작은 성과는 성취감을 쌓는 중요한 요소입니다. 큰 목표를 성취하기 위해 작은 단계별 성과를 인식하고 축하하는 것이 중요합니다. 작은 성과는 자신에 대한 자신감을 향상시키고, 목표 달성에 대한 동기를 부여합니다.

② 성과의 인식과 공유

성과를 인식하고 공유하는 것은 성취감을 강화하는 데 도움을 줍니다. 자신의 업적과 성과를 자세히 인식하고 인정하는 것은 성취감을 키워 주며, 동시에 타인과 성과를 공유함으로써 자신의 성공을 알리고 축하받는 기회를 가질 수 있습니다.

③ 도전과 실패에 대한 시각

도전과 실패는 성취감을 키우는 과정에서 빼놓을 수 없는 요소입니다. 도전과 실패는 성장과 학습의 기회로 받아들일 수 있어야 합니다. 실패를 성장의 계기로 삼고, 도전을 즐기는 자세를 가질 수 있으면 성취감을 지속적으로 느낄 수 있습니다. 시험에 한 번 떨어지고 두 번째 도전에서 합격했다면 실패를 극복하고 목표를 이루어냈다는 성취감을 더욱 강하게 느낄 수 있습니다.

④ 스스로에 대한 평가

자신의 성과를 정확하게 평가하고 인정하는 것은 목표 달성에 대한 자신의 역량을 인식하고 발전시킵니다. 자기 스스로에 대한 평가를 통해 미래의 목표를 설정하고 도전할 수 있습니다. 이번에 기능사를 땄다면 다음에는 산업 기사를 획득하고자 하는 목표를 세울 수 있습니다. 기능사를 땄다는 성취감은 다음 단계로의 발전에 밑거름이 됩니다.

5) 피드백

구매 결정은 판매자의 태도와 제품의 상태 그리고 리뷰가 결정합니다.

리뷰는 소비자로부터 받은 제품에 대한 평가이며 가장 솔직한 시장의 반응입니다. 시장에 안착하는 제품과 브랜드를 만들기 위해서는 리뷰를 겸허히 받아들이고 제품을 개선하고 소비자에게 받은 피드백을 제품과 브랜드에 투영하여 개선해야 합니다. 리뷰에 대한 피드백과 질문에 대한 성의 있는 답변은 매우 중요합니다.

시장의 목소리 피드백과 리뷰

피드백은 성장과 발전에 필수적인 요소입니다. 피드백을 통해 자신의 강점과 약점을 파악하고 개선할 수 있습니다. 피드백은 구체적이고 명확해야 합니다. 모호하거나 일반적인 피드백은 개선을 위한 방향성을 제공하지 못합니다. 구체적인 피드백은 개선에 도움이 됩니다.

① 개선을 위한 목표 설정

피드백을 받은 후에는 개선을 위한 목표를 설정해야 합니다. 명확한 목표와 계획을 세우고 그에 따라 행동을 취하는 것은 피드백의 가치를 최대화하는 방법입니다.

② 자기 객관화

효과적인 피드백과 개선을 위해서는 자기 스스로에 대한 평가와 자기 객관화가 필요합니다. 자신의 행동과 성과를 평가하고 분석하여 개선할 수 있는 부분을 파악하는 것은 개인의 성장에 필요합니다.

③ 외부 피드백의 수용과 분석

외부 피드백을 수용하고 분석하는 것은 개선의 핵심입니다. 타인의 의견과 피드백을 열렬하게 받아들이고 분석하여 자신의 성과와 업무를 개선하는 데 활용해야 합니다.

④ 실패로부터의 학습

실패는 개선의 기회입니다. 실패를 받아들이고 그것으로 반성하며 성찰하고 배우며 성장하는 것은 효과적인 피드백과 개선의 포인트입니다. 제품의 하자가 아니라 제품의 아쉬운 내용과 개선에 대한 필요성이나 방향성을 제시한 리뷰를 발견하면 즉각 그 가능성을 체크해야 합니다. 제품 용량, 포장 등 도움이 개선 및 리뉴얼의 시작이 되는 리뷰를 꼼꼼하게 확인해야 합니다.

1인 기업, 1천만 원으로 충분하다

3

실행력
키우기

1) 목표 설정

1인 기업으로 시작하지만 최종적인 목표는 무엇으로 두는가에 따라 마음의 크기가 달라집니다. 목표를 이야기할 때 빠지지 않고 등장하는 단골손님이 있습니다. 일본산 잉어인 '코이'입니다.

코이는 자신의 환경에 따라 몸의 크기를 스스로 결정합니다. 작은 어항에서는 10cm 미만의 작은 물고기이지만, 수족관에 넣으면 20cm까지 성장하고, 한강이나 석촌 호수에 넣으면 1m 넘게 자랄 수 있습니다.

목표는 크게 잡아야 합니다.

'위셀호프'를 만들 때 글로벌 브랜드로 키워 상장하는 것을 목표로 했습니다. 코스닥 상장은 3천억 원 이상의 매출을 달성해야 생각해 볼 수 있습니다. 수출을 열심히 하고 국내 내수도 탄탄하게 자리 잡아서 오늘은 아닐지라도 언젠가 다가올 내일에는 그 목표를 이루고자 최선을 다하고 있습니다.

큰 도자기는 깨져도 파편이 크다

목표 설정은 1인 기업가 자신의 비전과 목표를 명확하게 정의하고, 업무에 집중하고자 하는 방향을 제시합니다. 동기 부여와 업무 수행에 대한 집중력을 향상시키는 데 도움이 됩니다. 목표를 설정하면 업무에 목표를 달성하기 위한 구체적인 계획과 조직적인 접근 방식을 고민하고 만들게 됩니다.

① 목표 설정

목표는 구체적, 측정 가능, 달성 가능과 같은 현실적인 특성을 갖추어야합니다. 이러한 목표는 명확하게 이해되고 추적 가능하며 동기 부여를 높이는 데 도움이 됩니다. 1인 기업가는 자신의 비전과 가치에 맞는 목표를 설정하는 것이 중요합니다. 목표는 단순히 수익이나 성장에 초점을 맞추는 것이 아니라, 자신이 중요하게 여기는 가치와 목적을 달성하기 위한 방향을 제시해야 합니다. 이러한 소중한 목표는 업무에 대한 열정과 의미를 유지하는 데 도움이 됩니다.

② 단기 목표와 장기적인 목표

짧은 기간과 장기적인 목표를 함께 설정해야 합니다. 짧은 기간 목표는 일상적인 동기 부여를 제공하고, 단기 성취를 통해 자신에게 성취감을 주는 동시에, 장기적인 목표는 장기적인 성공과 발전을 위한 지표를 제공합니다.

1인 기업, 1천만 원으로 충분하다

③ 목표의 조정과 수정

1인 기업가는 목표를 설정한 후에도 유연하게 조정하고 수정할 수 있어야 합니다. 업무 환경이 변하거나 자신의 욕구와 가치가 변할 수 있기 때문에 목표를 조정하는 것은 중요합니다. 필요한 경우에는 목표의 우선순위를 재조정하고 새로운 목표를 도입하여 유동적으로 대응할 수 있어야 합니다.

④ 목표 달성을 위한 계획과 실행

목표를 설정한 후에는 이를 위한 구체적인 계획을 수립하고 실행해야 합니다. 계획은 목표를 달성하기 위한 필수적인 단계입니다. 이를 위해 일정, 자원, 역할 분담 등을 고려하여 실제로 행동으로 옮기는 것이 필요합니다.

⑤ 목표 달성의 평가와 보상

목표를 달성한 후에는 그 결과를 평가하고 성과를 인정하는 것이 중요합니다. 성공한 경우에는 적절한 보상을 주어 성취감을 높일 수 있습니다. 실패한 경우에도 교훈을 얻고 다음 목표에 도전하는 긍정적인 자세를 유지해야 합니다.

2) 도전 정신

눈앞에 산이 높다고 피해 돌아가면 다음에 산을 만났을 때도 피하는 법을 생각합니다. 작은 산이라도 넘어본 사람만이 더 큰 산을 만났을 때 피하지 않고 넘을 생각을 합니다. 산을 넘으면 그만한 보상이 따라옵니다. 피하지 말고 내 앞에 다가온 시련과 고통을 겸허하게 받아들이고 넘어서는 자세가 필요합니다. 시련을 극복해 달콤한 성취를 얻는 경험이 중요합니다.

한국의 기업가 중에 도전 정신만큼은 현대 그룹의 창업주 정주영 회장님을 넘어서는 사람은 없다고 생각합니다.

아래의 내용은 너무나도 유명한 거북선 일화입니다.

영국에서 바클리스 은행과 4,300만 달러 차관 도입을 협의했지만 은행은 최종적으로 이를 거절합니다. 정주영은 선박 컨설턴트 회장인 '롱바텀'에게 500원짜리 지폐에 그려진 거북선을 보이며 "우리는 영국보다 300년 앞서 철갑선을 만들었다. 우리는 할 수 있으니 믿어달라."고 설득하여 추천서를 받게 됩니다. 그럼에도 바클리스 은행에서는 "배를 구매하겠다는 사람을 먼저 찾아와라. 배 주문서를 가져오면 차관을 빌려주겠다."라고 한 번 더 조건을 달아 차관을 거절합니다.

정주영은 롱바텀에게 그리스의 선박왕 '아리스토틀 오나시스'의 처남인 '리바노스'가 값싼 배를 구하고 있다는 소식을 접한 뒤 그를 찾아갑니다. 그리고 리바노스에게 26만 톤짜리 선박 수주 계약을 따내게 되는데, 약속을 지키지 못하면 계약금에 이자를 얹어 주고 배에 하자가 있을 시 원금을 돌려준다는 파격적 조건과 함께였습니다.

정주영은 리바노스에 대해 '나보다도 미친 사람'이라고 표현했습니다. 한국 정부도 보증을 해주어 결국 바클리스 은행에서 차관을 빌렸고, 정주영은

1인 기업, 1천만 원으로 충분하다

"우리가 지금 조선소는 없지만 배를 계약해 주면 그걸로 돈을 빌려 조선소를 지은 뒤 배를 만들어 주겠다."라는 말도 안 되는 일을 실현한 것입니다.

1972년에 울산 조선소 건설에 들어갑니다. 조선소의 완공과 함께 유조선이 건조되어 나오는 유일무이한 역사적 사건을 만들어 냅니다. 도크가 부분 완공되면 그 자리에 바로 철판을 대어 배를 만들어 나가는 방식으로 하여 도크와 배를 동시에 만든 것입니다.

정주영 회장님의 어록으로 불리는 아래의 내용을 가슴 깊이 새겨 자신의 사업을 단단히 잡아 흔들림 없이 꾸려 나가시길 바랍니다.

* 스스로 운이 나쁘다고 생각하지 않는 한 나쁜 운이라는 건 없다.
* 길이 없다면 길을 찾아라. 찾아도 없으면 길을 만들어 나가야 한다.
* 무슨 일을 하든지 된다는 확신 90%와 반드시 되게 할 수 있다는 10%만 있으면 된다.
* 시련은 있되 실패는 없다. 내가 실패라 생각하지 않는 한 실패일 수 없다.
* 사업은 망해도 다시 일어설 수 있지만, 신용은 한번 잃으면 그것으로 끝이다.
* 목표에 대한 신념이 투철하고 이에 상응하는 노력만 쏟아붓는다면 누구라도 할 수 있다.

1인 기업을 운영하는 사람들은 다양한 도전과 압박을 경험하며, 이에 대응하기 위해 멘탈을 관리하고 강화해야 합니다. 도전은 성장과 발전의 기회를 제공하지만, 동시에 스트레스와 압박을 초래할 수 있습니다. 이에 대처하기 위해 효과적인 멘탈 관리 방법을 적용할 필요가 있습니다.

두려움 없이 한 발 내디디고 거꾸로 돌아가지 마라

도전을 통해 새로운 아이디어를 발전시키고, 역량을 향상시키며, 경쟁력을 강화할 수 있습니다. 도전에 대한 긍정적인 태도와 마음을 갖는 것이 중요합니다.

① 자신감 강화

도전에 대한 자신감을 강화하는 것이 중요합니다. 자신감은 도전 상황에서의 성공을 믿고, 어려움을 극복할 수 있는 자신감을 의미합니다. 이를 위해 이전의 성공 경험을 상기시키고, 자신의 역량과 잠재력에 대한 믿음을 갖는 것이 도움이 됩니다.

② 유연성과 적응력

1인 기업가들은 변화에 대한 유연성과 적응력을 갖추어야 합니다. 도전은 예상치 못한 상황과 변화를 초래할 수 있으며, 이에 대응하기 위해 적응력과 유연성을 발휘해야 합니다. 새로운 상황에 빠르게 적응하고 조정하는 능력이 필요합니다.

1인 기업, 1천만 원으로 충분하다

③ 위험 관리와 계획

도전은 위험을 동반합니다. 이를 효과적으로 관리하기 위해 사전에 리스크를 분석하고, 대비 계획을 수립해야 합니다. 도전에 앞서 명확한 목표와 계획을 세우고, 가능한 시나리오에 대비하여 예비 조치를 취하는 것이 중요합니다.

④ 독립적 사고와 자원 활용

자원의 한정성을 인식하고, 가용한 자원을 최대한 활용하여 문제를 해결하고 목표를 달성하는 것이 중요합니다. 타인의 도움과 협업도 필요하지만, 스스로 도전에 대처할 수 있는 능력을 갖추는 것이 핵심입니다. 굳건한 마음가짐이 필수입니다.

⑤ 성공과 실패

도전에서는 성공과 실패가 함께 발생할 수 있습니다. 성공을 축하하고 성과를 인정하는 한편, 실패를 긍정적인 학습 기회로 받아들이는 것이 필요합니다. 도전에서 얻는 교훈과 배운 점을 반영하며 계속해서 성장하는 것이 핵심입니다.

3) 절제력

무엇인가를 참아 내는 능력은 사업과 일상생활에서 매우 중요합니다. 만약을 대비하는 자세이며 자신을 돌보고 보호하는 최선의 방법이기도 합니다. 예컨대, 보통 자동차는 자신의 급여에서 3배 혹은 6배에 달하는 시세를 가진 차를 선택하는 것이 현명합니다. 즉 자신의 급여가 200만 원이라면 600~1,200만 원 사이의 자동차를 구매해야 합니다. SNS를 통하여 고급 자동차를 타는 것을 보고 선망하여 섣부른 판단으로 비싼 해외 브랜드 자동차를 구매를 했다면 인생을 매우 피곤하게 만드는 첫걸음을 떼었다고 보면 됩니다.

자동차는 운송 수단이지만 누군가에게는 자신을 뽐내는 척도로 활용될 수 있습니다. 다만 내가 지금 가진 자산과 앞으로의 미래 자산을 최대한 보수적으로 계산하여 구매를 결정해야 내일 갑자기 닥쳐올 그 무엇인가를 대비할 수 있습니다.

지금 마시고 싶은 커피를 참으라는 이야기가 아닙니다. 무모하고 감정에 휘둘린 지출을 절제하는 능력이야말로 미래를 준비하는 가장 효과적인 방법이라는 뜻입니다.

힘들게 번 돈은 쉽게 쓰지 못한다

① 목표 설정과 우선순위

명확한 목표를 설정하고 우선순위를 정하는 것이 중요합니다. 목표를 향해 집중력을 유지하고 중요한 일에 우선순위를 부여함으로써 자신의 선택과 행동을 관리할 수 있습니다. 연간, 주간, 일일 목표를 설정하여 인쇄한 후 잘 보이는 곳에 붙여 놓습니다. 이렇게 되면 일일 매출 목표가 보이고 로스가 보이며 달성해야 할 업무 일정이 한눈에 보입니다. 섣불리 돈을 쓸 시간도 없으며, 어렵게 번 돈은 아깝기 때문에 쉽게 쓰지도 못합니다.

② 유혹에 대한 대응

절제력을 효과적으로 강화하기 위해서는 유혹과 도전에 대한 대응 방법을 익히는 것이 중요합니다. 유혹이 닥쳤을 때, 잠시 멈추고 자신의 목표와 가치에 대해 상기하며 선택의 기회를 가지는 것이 필요합니다. 술에 대한 유혹과 '오늘 하루쯤' 하는 유혹, 더 깊게는 약에 빠지는 유혹 등 인생을 살아가면서 매일매일 유혹에 넘어가지 않는 순간들이 오늘날의 나를 만들었음을 알아야 합니다. 즉 오늘의 나는 어제의 내가 만든 결과이고 오늘 나의 생활이 나의 내일을 결정함을 이해해야 합니다.

③ 스트레스 관리

절제력은 스트레스 관리와 밀접한 관련이 있습니다. 스트레스를 관리하고 감정을 조절하는 능력을 통해 자기 조절력을 키울 수 있습니다. 보복 소비라는 개념이 있습니다. 힘든 일이 있을 때 퇴근하면서 뭐라도 하나 사서 가야 분이 풀리는 것입니다. 보복 소비는 합리적이지 않습니다. 스트레스를 돈 쓰는 걸로 푼다면 돈이 다 떨어지면 스트레스가 더 쌓이지 않을까요?

④ 습관 형성

절제력은 습관 형성을 통해 발전됩니다. 습관을 형성하는 것은 절제력을 강화하는 데 도움을 줍니다. 작은 습관의 변화부터 시작하여 점진적으로 자기 규제를 향상시키는 것이 중요합니다. 계획적으로 수입과 지출을 컨트롤하고 표를 만드는 습관은 절제력 향상에 매우 효율적입니다. 수입과 지출이 명확하게 표기된 표가 붙어 있다면 쉽게 돈을 쓰지 않게 됩니다. 합리적인 소비인지 반드시 필요한 지출인지 고민하게 되며 수입이 낮아진다면 개선 방향을 모색하게 됩니다.

4) 지속성

꾸준히 무엇인가에 매진해 본 경험이 있으신가요?

어떠한 생각이나 목표가 생긴다면 한 달도 좋고 두 달도 좋으니 꾸준히 정진해야 합니다. 꾸준히 하면 습관이 되어 몸에 체득됩니다. 일일 계획표에 명시한 내용을 꾸준히 지키고 더 좋은 체크포인트가 생각나면 계획표를 변경하면서 일일 계획을 지키는 행위 자체는 지속적으로 해야 합니다. 타협하지 말고 꾸준히 해야 합니다.

저녁에 일정이 있어서 운동 시간이 없다면 아침에 운동하는 방법으로 유연하게 대처하여 일일 계획표를 꾸준히 지켜야 합니다.

습관적으로 설정한 정해진 규칙을 수행하라

지속성과 인내는 목표의 설정과 비전을 이루기 위하여 노력할 때 시작됩니다. 명확하고 의미 있는 목표를 설정하고 비전을 가지는 것은 어려움을 극복하고 지속적인 노력을 할 수 있는 원동력이 됩니다.

① 강한 동기 부여

지속성과 인내를 유지하기 위해서는 강력한 동기 부여가 필요합니다. 자신의 목표와 비전에 대한 열정과 의미를 느끼는 것이 중요합니다. 동기 부여는 어려운 시기에 힘을 주며 지속성을 유지할 수 있도록 도와줍니다.

② 긍정적 태도와 체계적인 실행

긍정적인 마인드는 지속성과 인내를 유지하는 데 도움을 줍니다. 자신을 위한 목표와 동기 부여를 가지고 긍정적인 태도와 생각을 갖는 것이 중요합니다. 지속성과 인내는 체계적인 계획과 실행을 통해 구체화됩니다. 목표 달성을 위한 계획을 세우고 그에 따라 일정하게 실행하는 것이 중요합니다. 지속적인 노력과 일관성 있는 실행은 어려움을 극복하고 성공에 이르는 길을 열어줍니다.

③ 실패를 배움의 기회로

1인 기업가는 실패와 어려움을 마주할 수 있습니다. 하지만 이를 지속성과 인내를 키우는 기회로 삼을 수 있습니다. 실패를 경험하고 배움을 얻는 것은 성장과 발전을 이루는 데 도움을 줍니다. 실패했다 하더라도 사업을 금방 접지 말고 고민을 통하여 조금 더 지속하며 시도하는 것이 좋습니다. 창업 3년, 7년을 넘어서야 합니다.

④ 지속적인 성장과 발전

새로운 도전과 학습을 통해 자신의 역량을 향상시키고 계속해서 성장해 나가는 것이 중요합니다. 자기 계발과 전문성 향상을 위해 지속적인 노력을 기울이는 것은 지속성과 인내를 키우는 데 도움이 됩니다. 사업의 성장은 비즈니스의 성장과 사업가의 인간적 성장을 동시에 함께 실현합니다. 너무 빠르게 성장하면 자칫 오만에 빠질 수 있으나 작은 실패와 성공을 번갈아 경험하며 키워 낸 사업체와 사업가는 인간적인 성숙을 비즈니스의 성공과 함께 누리게 됩니다.

5) 집중과 몰입

목표를 설정하고 성취하기 위해 노력하는 과정에 반드시 수반되어야 할 조건이 집중력입니다. 공부, 운동, 독서, 업무 등 무엇을 하는 행위에서 집중력이 없다면 성과는 없고 시간 낭비만 있을 뿐입니다.

학생 때나 지금이나 책을 읽고 공부하기 가장 좋은 장소는 도서관 열람

실입니다. 권투를 연습하기 가장 좋은 장소는 권투 체육관입니다. 당연한 말이지만 강도 높은 집중력은 일을 하는 시간을 단축시키고 몸에 습관을 체득시키는 가장 훌륭한 요소입니다.

일을 할 때 미친 것처럼 집중해 보세요. 거래처를 설득하기 위해 내가 할 수 없는 120퍼센트를 쏟아 보세요. 거래처 담당자도 사람이라 감동받습니다. 머리에서 느끼는 결정이 아닌 마음에서 우러나는 감탄을 바이어와 고객에게 제공한다면 사업이나 브랜드는 안정된 사업으로의 정도를 걷게 됩니다.

눈에서 레이저가 나올 듯 몰두하라

조용하고 정돈된 공간, 적절한 조명과 음악, 집중을 방해하는 요소들을 최소화하는 등의 조치를 취하여 집중과 몰입을 도모할 수 있습니다. 일할 때는 반려동물, 취미 생활에 사용되는 요소들을 멀리하세요. 1인 기업은 특히나 개인 공간과 업무의 공간을 명확하게 구분하는 것이 좋습니다.

① 시간 관리

효과적인 시간 관리는 집중과 몰입을 향상시키는 데 도움을 줍니다. 우선순위를 정하고 일정을 계획하며, 중요한 작업에 집중하는 것이 중요합니다. 다이어리를 쓰고 계획표에 철저하게 하루를 기록하세요. 보통 제 경우에는 다이어리 3~4권을 1년에 사용합니다. 즉 3개월이면 다이어리 하나를 다 쓰게 됩니다. 기록으로 남기게 되면 머리에 조금 더 오래 기억됩니다.

나중에 찾아보기에도 좋습니다.

② 자기 관리

몸과 마음을 관리하는 것은 집중과 몰입을 유지하는 데 도움이 됩니다. 충분한 휴식과 수면, 균형 있는 식단과 운동을 통해 에너지를 충전하고 스트레스를 관리하는 것이 필요합니다. 집중력 있게 일하면 하루에 많은 일을 할 수 있습니다. 집중도 높게 일하면 하루 종일 사무실에서 할 일을 오전에 끝낼 수 있기도 합니다.

오전에 일을 끝내고 오후에는 취미를 즐기거나 다른 사업을 찾아 박람회를 돌아볼 수 있는 시간적 여유를 만들 수 있습니다. 집중력의 차이는 시간의 차이를 만들어 냅니다.

③ 집중력

분산되는 생각과 감정을 관찰하고 조절하는 능력을 키워야 합니다. 명상과 숨을 깊게 들이마시는 등의 기법을 활용할 수 있습니다. 자신만의 루틴을 만들어야 합니다. 책상에 앉아 다이어리와 일일 계획표를 먼저 작성하고 메일을 읽어가며 다이어리를 체크하고 계획표를 작성하는 것이 저의 루틴입니다. 밤에 들어온 외국의 이메일을 읽고 다이어리에 우선순위대로 기록하며 처리한 일은 체크를 하고 다음으로 넘어갑니다.

6) 열정

무엇인가에 미쳐본 경험이 있으신가요?

2008년 7월 2년 2개월의 군 복무를 마치고 복학해서 맞는 첫 여름 방학이었습니다. '안준환 선배님'이 영어 회화 동아리에 들어오라는 권유를 하셔서 동아리 가입 후 영어 회화를 함께 공부하기 시작했습니다. 중학교 2학년 때 과학에 한번 빠진 후 오랜만에 느껴보는 학문에 대한 순수한 재미와 신선함이었습니다. 영어 회화 동아리에서는 영화 스크립트를 프린트하여 롤플레이(역할 놀이)를 했습니다. 즉 A4용지 한 장 분량의 영어 대사를 모두 외우는 것이었습니다.

동아리 멤버는 10명 정도로 영어 스크립트 롤플레이로 어제 배운 내용을 암기한 것을 확인하고, 오늘의 스크립트 발음을 교정하며 표현 및 동의어, 반의어 등을 익히는 구조였습니다. 문법과 어휘에만 잡혀 있던 영어가 아닌 원어민이 사용하는 살아있는 언어를 배우는 느낌이었습니다. 여름 방학 동안 우리는 영화 한 편의 스크립트를 모두 외웠습니다. 이런 방학 루틴을 4번 보냈고, 영어에 대한 자신감은 높아졌으며 외국인 친구를 부담 없이 사귀었습니다.

옳은 방향으로 무엇인가에 깊은 열정을 쏟으면 인생이 달라집니다

열정은 우리가 어떤 일에 헌신하고 흥미를 갖는 강한 내적 동기입니다.

열정은 우리의 성과와 성공을 위한 핵심 요소입니다. 소위 미쳤다는 말을 들을 정도로 한 분야에 최고의 집중력을 일정 기간 발휘해야 합니다. 이러한 초집중력을 열정이라 하며 열정을 가진 사람의 눈은 반짝이며 살아있습니다.

열정이 있으면 시간을 어떻게든 쪼개어 활용합니다. 일정 기간이 지난 그 사람은 예전에 알던 사람이 아닌 한 단계 발전된 인간으로 성장하게 됩니다. 홈쇼핑을 하고 싶어서 홈쇼핑 관계자와 미팅을 했던 경험이 있습니다. 브랜드와 제품을 최선을 다해서 설명했습니다. 설명을 다 들은 홈쇼핑 관계자의 첫 마디는 "대표님 눈에서 레이저 나와요."였습니다. 열정은 꼭 이루고자 하는 목표, 순수한 흥미와 집중에서 생겨납니다.

① 스스로를 들여다보기

자기 인식은 열정과 긴밀한 연결이 있습니다. 자기 인식을 통해 우리는 무엇에 열정을 느끼는지를 파악할 수 있으며, 이는 열정을 이끌어내는 데 도움을 줍니다. 의미 있는 일, 필요한 일, 외국어, 자격증 등 열정을 올바르게 쏟을 만한 무엇인가를 찾는 것이 첫 번째입니다.

② 목표와 열정의 일치

목표와 열정은 상호 연관성을 갖습니다. 목표를 설정하고 그 목표에 대한 열정을 가지는 것은 동기 부여와 성취를 촉진 시키는 데 도움을 줍니다. 열정에 불타는 사람이 목표를 달성할 가능성이 높습니다. 목표에 미쳐 있

1인 기업, 1천만 원으로 충분하다

으니까요.

③ 열정과 고도화

열정은 지속적인 고도화를 통해 더 큰 성과를 이끌어 냅니다. 열정을 고도화하고 지속적으로 자극을 주는 것은 성장과 계발을 위한 핵심 요소입니다.

④ 열정의 에너지 관리

열정은 에너지를 소비하는 자원입니다. 열정의 에너지를 효과적으로 관리하고 회복하는 것은 지속적인 열정을 유지하는 데 중요합니다. 필요한 일에 열정을 쏟아야 합니다. 취미에 너무 많은 열정을 쏟아 본업을 소홀히 하지 마시길 바랍니다.

⑤ 열정과 학습 효과

열정은 학습 효과를 형성하고 지속적인 개발을 돕는 역할을 합니다. 열정을 가지고 새로운 지식과 기술을 익히며 성장하는 것은 1인 기업의 경쟁력을 향상시키는 데 도움을 줍니다.

7) 습관 만들기

습관을 만드는 가장 좋은 방법은 기록을 하는 것입니다.

체크 리스트 표를 만들어서 책상에 놓아두고 해야 할 일을 할 때마다 체크하는 방법이 가장 좋습니다. 직관적으로 오늘 할 일을 볼 수 있고 빠진 것은 무엇인지 한눈에 확인이 됩니다.

체크 리스트에는 팔굽혀펴기와 같은 운동도 넣을 수 있고 독서 30분 같은 취미도 넣을 수 있습니다. 그렇게 매일 해야만 하는 것들을 빠뜨리거나 나태해지지 않게 관리해야 합니다.

하루 1명의 바이어에게 메일을 보낸다고 체크 리스트에 넣으면 한 달에 주말을 제외한 주중에 20여 업체에 연락할 수 있게 되고 1년이면 240개 업체에 제품을 홍보하게 됩니다. 240개 업체 중 5개 업체와 계약을 했다고 가정하면, 수입사의 국가와 사정에 따라 다를 수 있으나 수입사의 계약 조건을 '1년 필수 수입 금액을 2억'으로만 설정하여도 10억 원의 수출을 달성할 수 있게 됩니다. 국내 영업을 제외하고 수출로 달성할 수 있는 매출입니다. 수출에는 부가세가 없습니다.

처음 한 달을 꾸준히 하는 것이 매우 중요합니다.

습관은 만들어 가는 것이지, 태어날 때부터 가져지는 것이 아닙니다

효과적인 습관을 구축하는 것은 개인의 성과와 삶의 질을 향상시키는 데 도움을 줍니다. 습관을 만들기 위해서는 최소 3개월의 실천이 필요합니다. 의식적으로 실천하는 것을 3개월 하다 보면 태도가 만들어집니다. 6개월 후에는 자연스럽게 습관으로 고착됩니다.

① 목표 설정과 습관 연결

목표 설정과 습관 연결은 효과적인 습관 구축의 핵심입니다. 목표를 설정하고 그에 따른 습관을 연결하여 일관된 행동을 취하는 것은 목표 달성과 성과 개선에 도움을 줍니다. 습관은 인생을 바꾸는 가장 기초적이면서도 핵심적인 일입니다. 핸드폰을 내려놓고 책을 잡아 보세요. 당장은 모르겠지만 시간이 쌓여 감에 따라 달라진 자신을 만나게 될 것입니다.

② 작은 습관의 중요성

작은 습관들은 큰 변화를 끌어낼 수 있습니다. 작은 습관을 구축하고 유지하는 것은 전반적인 생활 방식과 업무 방식을 개선하는 데 도움이 됩니다. 아침에 이불을 정리하고, 퇴근 시 책상을 깔끔하게 치우는 것과 같은 작은 일을 매일 실천해 보세요. 작은 실천이 모여 하루를 만듭니다.

③ 우선순위와 계획

우선순위와 계획은 효과적인 습관의 핵심 요소입니다. 중요한 일들에 우선순위를 두고 계획을 세우는 것은 업무의 운영과 시간 관리를 향상시킵니다. 다이어리와 계획표를 통하여 우선순위를 정하고 업무를 시작해야 합니다. 급한 일부터 순차적으로 처리하는 습관이 중요합니다.

④ 자기 관리와 습관 형성

습관을 구축하기 위해선 자기 관리가 기본입니다. 자기 관리를 하기 위한 습관과 루틴을 형성한다면 결국 습관과 루틴이 상호 작용하여 목표를 향해 한발씩 다가갈 수 있게 해 줍니다.

⑤ 유연성

효과적인 습관과 루틴을 형성하기 위해선 유연성이 필요합니다. 상황에 따라 습관과 루틴을 조정하고 적응하는 것은 변화에 대응하고 성장하는 힘을 길러 줍니다.

4

인적 인프라
넓히기

1) 대인 관계

근묵자흑, 까마귀 노는 곳에 백로야 가지 마라

나는 누구를 만나는가? 내가 속한 사회는 어떤 집단인가? 내 친구들은 어떤 사람들이며, 내 선후배들은 어떤 인생을 살아가는가? 나는 사람들과 어떤 주제를 가지고 이야기를 하는가?

스스로에게 질문을 던져 보세요. 사람과 사람이 만나는 대인 관계에서 순수함이 없다면 길게 관계를 유지하기 어렵습니다. 내가 누군가를 이용하려 한다든가, 다른 누군가가 나를 이용한다면 관계를 지속하지 마십시오. 내 주위에 그런 사람이 있는가? 혹은 내 자신이 그런 사람이 아닌가? 고민해 봐야 합니다.

학교 다닐 때 부탁이 있을 때만 전화를 하던 후배가 있습니다. 큰 부탁을 하는 것은 아니었지만 한 번 정도는 이야기를 해야겠다 싶어서 말했습니다. 본인은 부탁을 많이 하는 것이 아니라고 반박하는 그 후배를 보고 부탁

○○(후배 이름)이라 별명 붙였더니 더 이상 부탁을 하지 않았습니다. 너무 심하다고요? 상대방은 상처받을 수 있지 않냐고요? 글쎄요? 별명을 붙이고 나니 제가 아닌 다른 사람을 통하여 꾸준하게 부탁하더군요. 즉 부탁하는 것은 그 후배의 습관이었습니다.

입은 하나 귀는 둘

대인 관계에서 소통은 핵심 요소입니다. 자신의 의견을 표현하고 이해하기 위해 명확하고 효과적인 소통이 필요합니다. 적극적으로 듣고 이해하며, 자신의 생각과 감정을 적절하게 전달하는 것은 대인 관계의 기반이 됩니다.

① 상호 지원과 협력

대인 관계에서는 상호 지원과 협력이 중요합니다. 타인의 성과를 인정하고 응원하며, 협력을 통해 상생하는 관계를 구축하는 것은 멘탈을 강화하고 성공을 이루는 데 도움을 줍니다.

② 적절한 경계의 필요성

사람 사이에는 '선'이 필요합니다. 대인 관계에서는 적절한 경계 설정이 필요합니다. 자신의 필요와 가치를 존중하며, 타인의 경계를 인식하고 존중하는 것은 건강하고 긍정적인 대인 관계를 유지하는 데 필수적입니다. 덮어 놓고 친하게 지내거나 몇 번 만나지 않은 관계인데 자신의 정보를 모두 가감 없이 알려주고 오픈하는 것은 옳은 방법이 아닙니다.

사람은 서로에게 스며드는 데 시간이 필요합니다. 사람과 사람 사이에는 적절한 선이 필요합니다. 선을 넘는 행위에 대한 기준은 사람마다 다르나 어느 정도 사회 통념상 예의 없음, 매너 없음, 양심 없는 행위 등으로 평가할 수 있는 척도가 있습니다.

③ 긍정적인 태도와 인내심

대인 관계에서 긍정적인 태도와 인내심을 유지하는 것은 중요합니다. 어려운 상황에서도 긍정적인 태도를 유지하고 인내심을 발휘하는 것은 대인 관계를 강화하고 멘탈을 관리하는 데 도움을 줍니다. 5:5의 인간관계는 잘 없습니다. 한쪽의 마음이 조금 더 크거나 작기 때문입니다. 그렇다고 너무 실망하지 마세요. 상대를 있는 그대로 받아들이면 됩니다. 상대가 내 결혼식에 안 왔지만 나는 상대의 결혼식에 갈 수 있는 큰마음 그릇을 가지는 것도, 당장은 손해인 것 같지만 멀리 내다보면 그렇지만도 않다는 것을 알게 됩니다. 인생이란 언제, 어디서, 어떻게 연결될지 모르기 때문입니다.

④ 네트워킹

사업 동료들과의 연결과 협업, 소셜 미디어를 통한 네트워킹 등은 자신의 비즈니스를 성장시키는 데 도움을 줄 수 있습니다. 코트라나 무역 협회에서 하는 설명회나 기업 간담회에 참여하여 다른 사업가의 명함을 받아 보세요. 다른 사람들은 무슨 사업을 하고 어떻게 꿈을 이루어 나가는지 보세요. 그들과의 관계를 꾸준히 이어 나가면 생각지 못했던 기회가 찾아옵니다. 나 또한 그들에게 좋은 기회를 선사할 수 있기도 합니다. 사업은 사람이 하는 것이기에 사람과의 관계가 가장 중요합니다.

⑤ 존중과 배려

대인 관계에서는 상대방을 존중하고 배려하는 것이 중요합니다. 상대방의 의견과 가치를 존중하며, 배려하는 자세는 긍정적인 대인 관계를 형성하고 유지하는 데 도움을 줍니다.

2) 감사의 태도

고마움에 감격하여 눈물 흘려 본 경험이 있나요?

상대는 작은 일이라 잊었겠지만 나 스스로에게는 큰 위안이나 위로가 되어 가슴이 뜨거웠던 경험이 있나요?

영어 동아리에서 영어를 가르쳐 주신 안준환 선배님께 매년 스승의 날, 설날, 추석, 생일에 안부 전화를 하고 작은 선물을 합니다. "고맙습니다. 덕분에 여기까지 올 수 있었고 이렇게 잘 지냅니다." 이런 인사는 감사한 마음에 시키지 않아도 스스로 하는 것이며 인사를 받는 상대방은 따뜻한 마음을 느끼게 됩니다.

1인 기업, 1천만 원으로 충분하다

2016년 초봄 이스터데이 전후 25박 26일로 국내 박람회에서 찾은 몇몇 아이템을 배낭에 넣고 유럽을 떠돌며 바이어를 찾을 때가 있었습니다. 오스트리아, 독일, 체코에서 연속으로 거부당하고 쫓겨나며 희망이 서서히 사라지고 있을 때 폴란드 무역관 박민 과장님의 따뜻한 도움을 잊지 못하여 얼마 전 메일로 안부를 여쭤본 적이 있습니다. 결과는 동명이인의 다른 박민 과장님이었으나 메일의 발신자를 보고 가슴이 설레고 눈시울이 뜨거웠던 경험이 있습니다. 베푼 사람의 입장에서는 작은 호의였으나 받는 입장에서는 사업의 방향을 잡게 도와준 고마운 일이기 때문입니다.

2020년 코트라에서 만나 인연이 깊어진 원유준 대표님, 사업의 기회가 왔을 때 잊지 않고 도와주셔서 감사합니다. 대표님 덕분에 인생의 흐름 자체가 바뀌는 기회를 맞이했습니다.

은혜를 잊지 않고 갚아가며 살다 보면 좋은 날은 반드시 옵니다. 내가 타인에게 건넨 작은 친절이 상대방의 인생에 큰길을 바꿀 수 있으니 매몰차게 하지 말고 친절하게 선의를 베푸세요.

감사와 감동은 가슴을 뜨겁게 한다

감사의 태도는 긍정적인 태도를 형성하고, 스트레스를 완화시키며 성장과 발전을 도모하는 데 도움을 줍니다. 감사의 태도는 문제에 집중하는 대신 소중한 것들을 인식하고 가치를 느낄 수 있도록 도와줍니다.

① 일상의 작은 것에 감사하기

감사의 태도는 작은 것들에 대한 감사를 표현하는 것으로부터 시작됩니다. 일상 속에서 자주 무시되는 작은 일에도 감사의 마음을 갖고 인식하는 것이 중요합니다. 식사, 건강, 가족과 친구의 지원 등 모든 것에 감사하는 마음을 갖는 것은 긍정적인 에너지를 유지하고 멘탈을 강화하는 데 도움을 줍니다.

② 어려움에서 배우는 감사

어려운 상황에서도 감사의 태도를 유지하는 것은 멘탈 강화에 도움이 됩니다. 어려움에서 배우려는 자세를 갖고, 성장하는 경험을 쌓아 감사하는 마음가짐을 가진다면, 더 나은 방향으로 나아갈 수 있습니다. 어려움을 겪어본 사람, 궁핍해 본 사람이 돈의 가치를 잘 알고 쌀 한 톨의 소중함과 기름 한 방울의 따뜻함을 이해합니다. 일부러 어려움을 자처할 필요는 없지만 사업을 하다 보면 어려움에 직면할 때가 있습니다. 고난이 다가오면 고난을 받아들이고 극복해 낸다면 고난 이전의 나와 고난 극복 후의 나는 달라질 것이며, 고난 후의 나는 한층 성숙한 사람이 되어 있을 것입니다.

③ 타인에 대한 감사와 공감

주변의 지원과 협력에 감사하는 마음을 표현하고, 타인의 어려움과 감정에 공감하는 능력을 갖는 것은 멘탈의 안정과 조화를 이루는 데 도움을 줍니다. 원수는 잊어도 은혜는 잊지 말아야 합니다.

1인 기업, 1천만 원으로 충분하다

④ 고마움을 표현하는 방법

고마움을 표현하는 것은 감사의 태도를 실천하는 한 방법입니다. 진심으로 감사의 마음을 전달하고 고마움을 표현하는 것은 자신과 주변의 긍정적인 감정과 관계를 유지하는 데 도움이 됩니다. 감사의 마음은 편지를 쓰거나, 직접 말로 전달하거나, 작은 선물이나 서비스로 표현할 수 있습니다.

⑤ 감사의 태도와 자기 관리

감사의 태도는 자기 관리에도 영향을 미칩니다. 자기 관리는 멘탈을 효과적으로 관리하는 데 필수적입니다. 감사의 태도는 스트레스 관리, 신체 건강 관리, 시간 관리 등 다양한 자기 관리 영역에 긍정적인 영향을 미치며 멘탈 강화에 도움을 줍니다.

3) 소통 능력

"벽에다 이야기하는 기분이야."
"무슨 말을 하는지 이해가 안 돼."
"어불성설, 핵심을 전혀 모르고 이야기를 하고 있어."

백화점에서 오프라인 행사를 하면 가끔 억지 주장을 하는 사람을 보곤 합니다. 억지 주장은 듣고 있다 보면 제품에 흠을 잡거나, 판매자의 태도를 문제 삼아 가격 할인을 요구하거나, 샘플 등 추가 제품 등을 얻으려는 내용입니다. 이럴 경우 우선 대화를 해 보고 아니다 싶으면 그냥 보내는 것이 상책입니다. 중책은 가격을 할인해 주어 판매하는 것이며, 하책은 가격도 할인하고 샘플이나 다른 제품도 주는 것입니다.

억지 주장을 하는 사람에게 제품을 판매하는 것은 그다지 좋은 방법은 아닙니다. 그 이유는 그 사람이 브랜드나 제품을 옳게 평가하거나 주변인에게 소개하지 않을 것이 뻔하기 때문입니다.

어느 정도의 흥정은 가능하나 억지 주장은 무 자르듯 자르는 것이 정신 건강에 좋습니다. 소통은 말이 통하는 사람들과 하는 것입니다.

독불장군에게는 한계가 있다

효과적인 소통은 갈등을 예방하고 협력을 촉진하는 데 도움을 줍니다.

① 경청

소통 능력은 경청 능력을 필요로 합니다. 상대방의 의견을 경청하고 이해하며, 그들의 요구와 필요를 이해하는 것은 효과적인 소통 능력의 기본입니다.

② 비언어적 소통

소통 능력은 비언어적인 요소 또한 중요합니다. 신체 언어, 표정, 몸짓 등을 통해 상대방의 의도와 감정을 파악하고 이해하는 것은 효과적인 소통 능력을 발전시키는 데 도움을 줍니다. 고객을 만날 때 존대를 사용하고 있으나 표정은 귀찮아한다면 고객은 바로 알아차립니다. 이렇게 안 좋은 인식이 브랜드에 남게 되면 1명의 고객을 잃는 것이 아닌 그 고객의 주변 300명을 잃는다 생각해야 합니다. 1명을 놓치면 300명을 놓친다는 태도로 고객과 소통해야 합니다.

③ 명확하고 간결한 표현

효과적인 소통을 위해서는 명확하고 간결한 표현이 필요합니다. 복잡한 개념이나 정보를 간결하게 전달하고 명확하게 의사를 표현하는 것은 상대방과의 원활한 소통을 돕습니다. 애매한 표현이나 모르는 사항에 대해서는 솔직하게 모른다, 확인하고 알려드린다고 안내를 해야 합니다. 잘 모르면서 모르는 내용을 안내했다가 만약 고객이 틀린 내용을 전달받게 되어 문제가 발생했다면 걷잡을 수 없게 됩니다.

④ 비판과 피드백의 수용

소통 능력은 비판과 피드백을 수용하는 능력을 요구합니다. 상대방의 의견과 피드백을 수용하고 적극적으로 반영하는 것은 업무의 질을 향상시키고 소통을 원활하게 하는 데 도움을 줍니다.

⑤ 문제 해결

소통 능력은 문제 해결에 중요한 역할을 합니다. 상대방과의 소통을 통해 문제를 해결하고 협력을 통해 목표를 달성하는 것은 효과적인 소통 능력을 향상시키는 데 도움을 줍니다.

4) 공감 능력

고객이 불편한 내용을 전해 준다면, 이에 대해 깊이 공감하고 위로하며 실수와 잘못을 사과해야 합니다. 사과 후 내용을 개선하고 고객 불만 사항에 대한 적절한 조치를 해야 합니다.

"우리 규정은 이래요!" 무작정 이렇게 해선 안 됩니다. 규정이 있고 불만을 처리하는 시스템이 있지만 악성 블랙 컨슈머가 아니고 공감할 수 있는 부분이 있다면 인간적으로 대화를 해야 합니다.

화가 난 고객의 이야기를 잘 들어주는 것이 소통과 공감의 시작이며 문제를 쉽고 빠르게 푸는 방법입니다.

상대방의 이야기를 들으면서 훈수를 두지 마라

타인의 감정을 이해하고 공감하는 것은 상호 간의 신뢰와 이해를 형성하는 데 효과적입니다.

① 감정 인식과 이해

공감 능력은 감정을 인식하고 이해하는 능력을 의미합니다. 자신의 감정을 인식하고 이해하는 것은 타인의 감정을 이해하는 기반이 됩니다. 내가

1인 기업, 1천만 원으로 충분하다

기분이 나쁠 만한 상황이면 상대방의 기분도 나쁠 것을 쉽게 예측할 수 있습니다. 그렇지만 우리는 때때로 내 기분을 우선시하여 상대방의 기분을 고려하지 못할 때가 많습니다.

② 경청과 이해

공감 능력은 적극적인 경청과 이해에서 시작됩니다. 상대방의 이야기를 경청하고 진정으로 관심을 가지며, 그들의 이야기를 이해하려고 노력하는 것이 공감의 시작입니다.

③ 비판적 사고와 시각의 다양성

공감 능력은 비판적 사고와 시각의 다양성을 수용하는 능력을 필요로 합니다. 자신의 관점을 벗어나 타인의 시각을 이해하고 수용하는 것은 공감 능력을 키우는 데 도움을 줍니다. 타인의 의견을 들을 때 잘 들으면서 스스로의 기준으로 상대방의 이야기를 판단해야 합니다. 공감할 수 있는 부분은 공감하고 자신과 생각이 다른 의견에 대해서는 토론해야 합니다.

성장과 발전
도모하기

1) 성장과 발전

사업의 성장과 사람 자체의 성장은 함께 이루어져야 합니다. 훌륭한 사업가가 만든 회사는 오래도록 사랑받습니다. 사업의 성장과 함께 사람 자체도 같이 성장합니다.

흔히 개인의 포부나 역량의 크기를 간장 종지나 밴댕이에 비교하곤 합니다. 주로 인간성이 나쁘거나 양심이 없거나 이기적인 사람들이 주변 사람들로부터 받는 평가입니다. 이러한 사람들은 사업을 하여 성공하였어도 사상누각이라 오래 가지 못합니다. 사업의 성장에는 반드시 인간미가 있어야 하며 인간적 성장은 바른 태도에서 실현됩니다.

대기만성

지속적인 성장과 발전은 새로운 기회를 창출하고 미래에 대한 준비를 강화하는 역할을 합니다. 두 배의 매출도 중요하지만 사업이 뒤로 후퇴하지만 않으면 됩니다. 꾸준히 밀고 나갈 잠재력을 탄탄히 쌓는 과정일 수 있습니다. 그러다 보면 어느 순간 두 배, 세 배로 매출이 늘어나고 사업이 커짐니다. 이러한 작은 성공들이 하루를 만들고 그런 하루가 모여 한 달, 1년이 됩니다. 작은 성공을 자주 경험하는 것이 중요합니다. 일일 목표를 달성하는 작은 목표를 매일 이루다 보면 한 달을 채우고, 한 달이 찼을 때 성공의 뿌듯함과 함께 달라진 생활 습관과 업무 집중도를 발휘하고 있음을 발견할 수 있습니다.

① 목표와 계획

성장과 발전을 위해 명확한 목표와 실현 가능한 계획을 수립하는 것이 중요합니다. 목표와 계획은 방향성을 제시하고 성장을 위한 행동을 촉진시킵니다. 일일 계획표를 철저하게 지켜야 합니다.

② 지속적인 학습과 개발

새로운 지식과 기술을 익히고 자기 계발에 투자하는 것은 성장과 발전을 이루는 핵심 요소입니다. 새로운 트렌드를 읽고 싶다면 박람회에 자주 참석하여 부스를 열고 있는 브랜드의 제품을 확인해야 합니다. 해외 박람회도 아시아, 유럽, 미주로 정해 놓고 1년에 3번은 다녀옵니다. 해외 박람회에서는 국내에서 볼 수 없는 제품과 트렌드를 만날 수 있기 때문입니다. 성장을 위해서는 지속적이고 적극적인 노력이 필요합니다.

③ 리더십과 팀워크

성장과 발전은 효과적인 리더십과 팀워크에 의해 이루어집니다. 리더는 비전과 방향성을 제시하고 팀원들에게 동기를 부여하며 협업을 촉진시켜 성과를 이끌어 냅니다. 1인 기업가는 팀이 없기에 외주 업체를 잘 활용해야 합니다. 3PL 업체를 활용하여 물류 시스템을 해결하고, 중소기업 유통 센터의 C/S 사업을 통하여 사무실 전화를 대신 받아 줄 수 있게끔 해 고객 C/S를 해결해야 합니다. 또한 세무 법인과 관세 법인을 활용하여 세무와 관세의 외주를 맡기고 1인 기업가 본인은 영업과 제품 개발에 매진해야 합니다.

2) 사회 환원

위셀호프의 모토는 '흙에서 바다로'입니다.

자연에서 나는 재료를 사용하고 지속 가능한 개발을 위해 환경을 보호하는 것을 목표로 브랜드를 만들었습니다.

사회 환원은 기업에 주어진 책임이라 생각했습니다. 푸른 숲과 맑은 바다를 보호하고 유지하기 위해서 우리는 끊임없이 노력해야 합니다. 나무를 심고 해양 쓰레기를 수거해야 합니다. 물과 흙은 생명에게 가장 필요한 자원이기 때문입니다.

함께 사는 세상

1인 기업가는 자신의 비전과 가치를 명확히 설정하고, 이를 사회적인 책임과 연결시켜야 합니다. 사회적 가치와 비전을 바탕으로 사회 환원 활동을 기획하는 것은 본인 스스로의 멘탈을 관리하는 데 도움을 줍니다. 사회 환원은 하나의 마케팅 자료로서 자연과 환경을 고려하는 친환경 이미지를 기업과 브랜드에 부여합니다. 착한 기업이 오래 살아남는 기업입니다.

① 사회적 이해와 문제 인식

1인 기업가는 사회적인 문제와 이슈에 대한 이해와 인식을 갖추어야 합니다. 현대 사회는 다양한 사회적 문제를 안고 있으며, 1인 기업가는 이러한 문제에 대한 인식과 이해를 바탕으로 사회 환원 활동을 기획하고 참여해야 합니다.

② 사회 환원 활동 기획과 참여

1인 기업가는 자신의 역량을 평가하고 활용하여 사회 환원 활동을 수행해야 합니다. 예를 들어, 기업의 제품이나 서비스를 활용하여 사회적인 문제를 해결하는 프로젝트를 기획할 수 있습니다. 또한, 사회적인 단체나 비영리 기관과 협력하여 사회 환원 활동에 참여할 수도 있습니다.

③ 파트너십 구축과 네트워킹

사회 환원은 혼자서 이루기 어려운 작업일 수 있습니다. 1인 기업가는 파트너십을 구축하고 네트워킹을 통해 다른 사람들과 함께 사회 환원 활동을 추진할 수 있습니다. 협력과 협업을 통해 더 큰 사회적인 영향을 창출하고, 함께 성장하는 기회를 얻을 수 있습니다. 파트너십 구축과 네트워킹은 멘탈 관리에도 도움을 줄 수 있습니다. 플로깅을 주제로 한 네트워킹 구성과 크루 모집은 브랜드 이미지를 확보하는 중요한 요소로 작용합니다. 위셀호프는 플로깅은 물론이고 다이버들과 함께하는 수중 쓰레기 수거 사업에도 관심을 기울이고 있습니다.

④ 사회적 보고와 투명성

사회 환원 활동은 기업의 사회적 책임을 실현하기 위한 것입니다. 1인 기업가는 사회적 보고와 투명성을 갖추어야 합니다. 사회 환원 활동의 목적과 결과를 투명하게 공개하고, 사회적인 영향을 측정하고 평가하는 체계를 구축해야 합니다. 사회적 보고와 투명성은 자신의 멘탈을 관리하고, 기업의 신뢰와 명성을 높이는 데 도움을 줍니다.

⑤ 사회적 영향력 확장

1인 기업가는 사회 환원을 통해 자신의 사회적 영향력을 확장할 수 있습니다. 사회적 영향력은 기업의 성공과 성장을 위해 중요한 역할을 합니다. 사회적 영향력을 키우기 위해서는 지속적인 사회 환원 활동과 기업의 사회적 책임을 실천하는 것이 필요합니다. 사회적 영향력의 확장은 멘탈을 관리하고, 더 큰 목표를 향해 나아갈 수 있는 동기를 부여합니다.

3) 결정 능력

베트남 주재원을 할 때의 일입니다. '결정'이라는 단어의 무서움과 무거움을 뼈저리게 이해하게 된 경험이 있습니다. 베트남에서 했던 업무는 원자재 구매를 하는 일이었습니다. 원자재 가격 협상을 통하여 kg당 가격을 조율하고 20개가 넘는 공급 업체를 관리했습니다. 보통 하루 90~100톤의 원자재를 구매하여 공장으로 공급했습니다. 예를 들어 오늘 협상을 잘하여 kg당 0.05 USD를 저렴하게 100톤을 구매하였다면 오늘 절약한 비용은 0.05 USD*100,000kg = 5,000 USD로, 회사의 수익률 상승에 변동을 가져올 수 있었습니다. 반대로 협상이 잘되지 않아 가격을 비싸게 샀다면 회사의 수익률은 떨어집니다. 원자재를 구매하는 업무라서 조업 현황에 따라 가격이 매일 달랐습니다.

어떠한 결정을 내리고 사인을 하는가에 따라 수익률과 회사 자금 상태가 급변하는 것을 느끼게 되었습니다. 그에 따라 결정에 따른 책임을 오롯이 지게 되었고, 결정이란 단어의 무거움을 체득할 수 있었습니다.

서류에 사인하는 펜의 무거움

1인 기업가는 자신의 비전과 목표를 정확히 이해하고, 중요한 우선순위를 파악하여 결정에 반영해야 합니다. 목표와 우선순위 설정을 통해 결정의 방향성을 명확히 하고, 효과적인 결정을 내릴 수 있습니다.

① 정보 수집과 분석

효과적인 결정을 위해서는 충분한 정보 수집과 분석이 필요합니다. 관련된 데이터와 정보를 수집하고, 다양한 요소를 분석하여 결정에 필요한 정보를 확보해야 합니다. 정보 수집과 분석을 통해 의사 결정의 근거를 확보하고, 더 정확한 결정을 내릴 수 있습니다. 평균값과 상위, 하윗값을 설정하여 안전한 범위 내에서의 결정을 내려야 사업의 위기를 관리할 수 있습니다.

② 리스크 평가와 대응

결정은 항상 리스크와 함께합니다. 1인 기업가는 결정의 가능한 리스크를 평가하고, 적절한 대응 전략을 마련해야 합니다. 리스크를 최소화하고, 실패에 대비한 플랜 B를 갖추는 것이 중요합니다. 리스크 평가와 대응은 자신의 결정 능력을 강화하고, 더 효과적인 결정을 내릴 수 있도록 도움을 줍니다. 판매처를 다양화하고 수출처를 많이 발굴하는 것이 중요합니다. 1개의 큰 기업과 거래를 하는 것도 중요하나 10개의 작은 기업과 거래하는 것이 위험에 대비하기 좋기 때문입니다. 1개의 대기업이 매입을 중단하면 브랜드는 어려움을 크게 겪지만 10개 중 1개의 작은 기업이 매입을 중단하면 9개의 작은 기업은 매입을 지속하기에 어려움을 겪지 않을 수 있습니다. 주식에서 분산 투자하여 계란을 나누어 담는 것과 같은 원리입니다.

1인 기업, 1천만 원으로 충분하다

③ 직감과 경험의 활용

결정은 때로는 직감과 경험에 기반하여 이루어집니다. 1인 기업가는 자신의 직감과 경험을 활용하여 결정에 도움을 받는 경우가 있습니다. 과거의 경험과 직감은 의사 결정에 중요한 정보를 제공할 수 있으며, 이를 활용하여 더 나은 결정을 내릴 수 있습니다. 과거의 상황을 기록으로 남겨 두고 데이터를 저장하여 보기 쉽게 만들어 놓아야 합니다.

④ 타인의 조언과 피드백 수용

결정은 항상 혼자서만 내리는 것이 아닙니다. 1인 기업가는 타인의 조언과 피드백을 수용하고, 다양한 의견을 들어 결정에 반영해야 합니다. 다른 사람들의 의견은 새로운 시각과 아이디어를 제공하며, 더 명확하고 효과적인 결정을 내리는 데 도움을 줍니다. 고객의 후기와 바이어의 요청 등이 있을 때 결정을 바꿀 수 있는 가능성을 열어 두어야 합니다. 니즈가 있는 곳으로 공급이 따라가야 하기 때문입니다.

4) 기회

"만에 하나"

무역을 하다 보면 "만에 하나"라는 말이 얼마나 정확한 표현인가 깨닫게 됩니다.

메일을 통한 영업을 예로 들면 일만 번의 노크를 하면 백 번 정도 문이

열리고 한 번의 계약이 성사됩니다. 지루한 과정이지만 꾸준하게 정진해야 합니다. 일만 번을 두드린다는 생각으로 바이어를 찾고 설득해야 합니다. 그러다 보면 "타이밍"이 기가 막히게 맞아 좋은 결과가 도출됩니다. 기회를 보는 눈은 그 꾸준히 정진하는 우직함 속에서 키워집니다.

꾸준히 일을 하면 해당 분야의 지식이 생기고, 때로 도와주는 업체나 사람이 생겨나며, 거래처를 만나게 됩니다. 보는 눈이 부족할 때는 진수와 허수를 구분하지 못하여 손해를 보기도 합니다. 희비가 교차되고 작은 성공과 작은 실패가 쌓이면 진정한 협력사를 찾게 됩니다.

기회를 보는 눈은 꾸준하게 정진하는 과정에서 생겨납니다.
요즘의 비즈니스는 과거와같이 "만에 하나"가 아닐 수 있습니다. 일만 번을 두드리기보다 준비를 잘해 백 번을 확실하게 두드리는 니즈를 찾는 제품 개발로 시간과 비용을 절약할 수 있습니다. 다만 백에 하나가 성공하기 위해서는 제품과 브랜드를 꾸준히 성장시켜 놓아야 합니다. 성장하는 과정에서 다가오는 기회를 알아보고 잡을 수 있기 때문입니다.

기회는 준비된 자에게 가치를 발휘한다
고정관념과 선입견을 버리고 새로운 아이디어와 관점을 수용하는 개방적인 태도를 갖는 것이 중요합니다. 기회는 어디에서든 발견될 수 있으며, 개방적인 태도는 그것을 인식하고 받아들이는 데 도움을 줍니다.

1인 기업, 1천만 원으로 충분하다

① 환경 파악과 트렌드 분석

기회는 외부 환경의 변화와 트렌드에서 비롯될 수 있습니다. 1인 기업가는 산업 동향과 소비자 요구 변화 등의 환경을 파악하고 트렌드를 분석하는 능력을 갖추는 것이 중요합니다. 환경 파악과 트렌드 분석을 통해 기회를 발견하고 창출할 수 있습니다.

② 네트워킹과 협업

기회는 다른 사람과의 네트워킹과 협업에서 비롯될 수 있습니다. 1인 기업가는 네트워크를 확장하고 협업 관계를 구축하는 것이 기회를 창출하는데 도움을 줍니다. 다양한 사람과의 교류를 통해 새로운 아이디어와 기회를 얻을 수 있습니다. 사업을 하다 보면 나 자신과 비슷한 사람들을 만나게 됩니다.

화장품 브랜드를 운영하는 사람이라면 비슷하게 화장품 브랜드를 운영하는 사람들을 만납니다. 이러한 관계를 돈독히 하여 차후 수출 대상 국가에서 우리 브랜드에는 없는 제품을 찾을 때 관계가 좋았던 다른 브랜드의 제품을 수출할 수 있습니다. 반드시 우리 브랜드만을 수출해야 하는 것은 아닙니다. 가능성은 열려 있습니다.

③ 능력과 경쟁력 강화

기회는 능력과 경쟁력을 향상시키는 과정에서 발견될 수 있습니다. 1인 기업가는 지속적인 자기 계발과 업무 능력 강화를 통해 경쟁력을 키우고, 기회를 창출할 역량을 갖추는 것이 중요합니다. 기회를 만들기 위해서는 자신의 능력과 경쟁력을 지속적으로 향상시키는 노력이 필요합니다. 독서와 운동을 평소에 꾸준히 해야 합니다. 체력과 지식이 없으면 사기를 당하거나 체력이 받쳐 주지 않아 사업을 지속할 수 없습니다.

④ 실패와 리스크 인식

기회는 실패와 리스크를 감수하는 과정에서 발견될 수 있습니다. 1인 기업가는 실패와 리스크를 두려워하지 않고 도전하며, 실패를 배움의 기회로 삼는 태도를 가져야 합니다. 실패와 리스크에 대한 인식과 대응력을 갖춘다면, 더 많은 기회를 발견하고 활용할 수 있습니다. 야심차게 개발했던 제품이 시장으로부터 외면을 받으면 비용과 시간을 낭비했다고 생각하지 말고 제품을 리뉴얼해야 합니다. 제품의 후기를 참고하여 리뉴얼한다면 업그레이드된 제품을 선보일 수 있습니다.

⑤ 적극적인 행동과 지속성

기회는 적극적인 행동과 지속성에서 비롯됩니다. 1인 기업가는 기회를 놓치지 않기 위해 적극적으로 행동하고, 지속적인 노력과 열정을 가지는 것이 중요합니다. 기회는 우연이 아닌 노력과 역량을 통해 창출될 수 있습니다. 적극적으로 덤벼들어야 합니다. 사업이나 비즈니스를 성공적으로 만들기 위해서는 최대한의 친절로 상대방을 탄복시키거나 꾸준한 연락과 푸

쉬로 상대방이 이름만 들어도 질려 "파스칼 오퍼 먼저 처리해!"라는 말을 들을 수 있게 해야 합니다. 탄복과 푸쉬가 적절히 조합된다면 최상의 효과를 만들 수 있습니다. 신규 업체와 계약을 성사시키기 위하여 한 달에 최소 1회는 업체를 방문해야 합니다. 담당자에게 제품을 업데이트하여 보여주고 샘플을 만들어서 테스트할 수 있게 제공해야 합니다.

5) 유연성

해외여행을 다녀 보셨나요? 저는 해외 박람회 참여를 위해 매년 3회 정도 외국을 다니고 주재원 생활을 3년 정도 했습니다. 외국을 나가면 그 나라의 현지 음식을 먹고, 거리를 걸어 보고, 마트를 반드시 방문합니다. 마트는 현지인들의 생활이 잘 녹아 있는 장소입니다. 어떤 제품을 사는지, 먹는지, 쓰는지 관찰하고 실제로 사서 먹어 보고 사용해 봅니다.

"나는 화장품 브랜드를 운영하니까 화장품 매장만 잘 돌고 조사하면 돼." 가 아닙니다. 화장품을 팔기 위해서는 그 사람들의 생활을 알아야 바이어를 설득할 수 있고, 다른 아이템을 국내에 수입하여 유통할 수도 있습니다. 한국인을 만나건 외국인을 만나건 유머를 깔고 시작하면 대화의 분위기가 좋아집니다. 유머는 상황을 유연하게 만듭니다. 유연성 있는 생각으로 다른 사업 아이템을 발견하기도 합니다.

굳은 사고는 창의적인 발전이나 방향 전환을 이루어 내기가 어렵다

새로운 아이디어와 관점에 열려 있고 변화에 대한 저항을 줄이는 것이 중요합니다. 개방적인 태도와 학습 욕구를 가지는 것은 유연성과 적응력을 키우는 첫 번째 단계입니다. 고정관념이 두꺼우면 유연해지기 어렵습니다. 다양한 경험과 독서를 통하여 고정관념을 허물고 열린 마음으로 세상을 바라보는 것이 유연한 사고를 갖게 되는 첫 단계입니다.

① 실패에 대한 긍정적인 태도

실패는 변화와 함께 불가피하게 일어날 수 있습니다. 유연성과 적응력을 유지하기 위해서는 실패에 대한 긍정적인 태도를 가지는 것이 중요합니다. 실패는 성장과 배움의 기회로 삼을 수 있으며, 실패를 통해 더 나은 방향으로 나아갈 수 있습니다. 실패를 보완한다면 성공으로 가는 첫 발을 디딘 것입니다. 다만 실패의 이유와 성공으로 가는 방향을 세밀하게 조사해야 합니다.

② 변화에 대한 유연한 대처

변화는 불확실성과 도전을 초래할 수 있습니다. 유연성과 적응력을 유지하기 위해서는 변화에 대한 유연한 대처가 필요합니다. 새로운 상황에 신속하게 적응하고 조정하는 능력을 키우는 것이 중요합니다.

③ 문제 해결과 창의적 사고

유연성과 적응력을 키우기 위해서는 문제 해결과 창의적 사고가 필요합니다. 문제에 직면했을 때 다양한 해결책을 고려해야 하며, 나아가 창의적인 아이디어를 발전시키는 능력은 변화에 대한 대응력을 강화하는 데 도움을 줍니다.

④ 신뢰

유연성과 적응력을 유지하기 위해서는 신뢰가 중요합니다. 신뢰할 수 있는 동료나 조언자와의 관계를 구축하고 지원받는 것은 어려운 시기에 도움이 됩니다. 주위 사람들에게 조언을 구하되 조언을 백 퍼센트 신뢰하여 적용하지 말고 생각을 해 봐야 합니다. 주위 사람들의 조언에는 책임감이 없습니다.

6) 실패

실패해 본 경험이 없다면 도전적인 삶을 살지 않은 사람입니다. 도전의 이면에는 실패가 따라다닙니다. 실패를 통하여 배우는 것이 없다면 또 실패할 뿐입니다.

실패를 통하여 사업에 대한 태도를 바꿀 수 있습니다. 만약 덜렁거려서 꼼꼼한 성향이 없다면 3번 확인하는 습관 등을 길러 차분하고 꼼꼼하게 일하는 사람으로 변화하면 됩니다.

사업이 잘 안 풀리고 정체되어 형편이 어려워지면 시간과 자금에 쫓기게 됩니다. 악수를 두기 딱 좋은 환경에 서게 되는 것이죠. 그러한 상황에서 결정하게 되면 좋은 결과보다는 안 좋은 결과를 맞게 되는 경우가 발생하게 됩니다. 실패를 막는 방법 중 가장 확실한 것은 꼼꼼하게 살피는 것입니다. 결정을 내리기 전에는 두 번, 세 번 살펴야 하고 계약서를 몇 번이고 꼼꼼하게 확인하고 외부 전문가에 조언을 구하세요.

실패를 통하여 쫓기지 않는 법과 새로운 방안을 마련하는 방법을 배워서 이전과 같은 선택과 결정을 하지 않는다면 두 번의 실패는 하지 않게 됩니다.

성공과 함께 다니는 실패

실패는 성공을 위한 과정의 일부입니다. 실패를 부정적으로 바라보는 것보다는 실패를 이해하고 그 의미를 깊게 고민하는 것이 중요합니다. 실패 속에서 성공으로의 단초가 마련되는 경우가 많습니다. 실패의 원인을 제거하고 원인이 되는 부분을 수정하고 발전시키면 됩니다.

① 실패에서의 교훈과 성장

실패는 교훈을 제공하고 개인의 성장을 촉진시킵니다. 실패에서 배울 교훈을 찾고 성장의 기회로 삼는 것이 중요합니다. 실패하면 심적으로 매우 힘듭니다. 힘들고 어려운 상황을 극복하면 멘탈이 강화되어 작은 바람에 쉽게 흔들리지 않게 됩니다. 묘목이 굵은 거목이 되어가는 과정에서는 필

1인 기업, 1천만 원으로 충분하다

연적으로 비바람이라는 실패와 시련이 따라오기 마련입니다.

② 실패에 대한 자기반성과 긍정적인 마인드

실패를 자기반성의 기회로 삼고 긍정적인 마인드를 유지하는 것은 실패를 극복하고 다시 도전하는 데 도움을 줍니다. 실패의 원인을 보완하면 장점이 될 수 있습니다.

③ 실패 후의 계획 수정과 목표 재설정

실패를 경험한 후에는 계획을 수정하고 목표를 재설정하는 것이 중요합니다. 실패를 통해 얻은 교훈을 바탕으로 새로운 방향을 설정하는 것은 성공으로 나아가는 데 도움을 줍니다.

④ 실패와의 긍정적인 대면과 동기 부여

실패를 긍정적으로 대면하여 동기 부여를 유지하게 된다면, 이는 멘탈을 강화하는 데 중요한 역할을 해줍니다. 실패를 긍정적으로 받아들이면 실패를 오히려 동기 부여의 요인으로 삼을 수 있습니다. 나아가 실패에도 굴하지 않고 긍정적인 에너지를 다시 가진다면, 실패는 오히려 다시 도전하는 힘을 주는 역할을 합니다. 다시 도전할 수 있는 용기와 기세가 사업의 존망과 성패를 가릅니다. 넘어졌다면 일어나서 훌훌 털고 다시 시작하세요.

제겐 2년간 새벽 노동을 하면서도 저녁이면 본업으로 돌아왔던 기억이 있습니다. 그때 그 기억을 통해 사업이 어려워진다면 언제든 다시 새벽 노

동시장으로 돌아가 처음 그 마음으로 시작할 수 있다는 꺾이지 않는 의지를 마음속에 새기게 되었습니다. 이러한 의지가 생긴 것은 실패했을 때 다시 일어선 경험이 있었기 때문입니다.

⑤ 지원 체계 구축과 도움 요청

실패를 경험했을 때는 주변의 지원 체계를 활용하고 도움을 요청하는 것이 중요합니다. 지원과 도움은 실패를 극복하는 데 필요한 에너지와 자원을 공급해 줍니다. 주변에 나를 도와줄 사람이 아무도 없다면, 혹여 있더라도 도움을 요청하고 싶지 않고 혼자 난관을 헤쳐 나가고 싶다면 새벽 시장과 뱃일을 몇 개월 하고 돌아온다는 각오를 다지시길 바랍니다. 그런 각오가 있다면 실패 따위는 두렵지 않습니다.

⑥ 실패 후의 자기 돌봄과 회복

실패를 경험한 후에는 자기 돌봄과 회복에 집중해야 합니다. 실패로 인한 스트레스와 감정을 처리하고 멘탈을 회복시키는 것은 다음 도전을 준비하는 데 도움이 됩니다. 강한 정신력이 최고의 장점이 되도록, 건강한 육체가 강한 정신력을 뒷받침할 수 있도록 평소에 꾸준히 노력해야 합니다. 일일 계획표를 만들어 실천하세요.

7) 신뢰

"돈을 잃은 것은 조금 잃은 것이고, 건강을 잃은 것은 많이 잃은 것이며, 신뢰를 잃은 것은 전부 잃은 것입니다."

"검은 옷에 튄 검은 물방울은 티가 안 나지만 흰옷에 튄 검은 물방울은 티가 납니다."

흰옷을 입은 인생을 살고 검은 물방울과 같은 오점을 남기지 마세요.

흰옷을 입은 깨끗하고 정직한 사람으로 살아야 합니다. 검은 옷을 입은 사람으로 살아 어떤 구정물이 튀어도 티가 안 나는 삶을 살면 안 됩니다.

우리는 일상생활 속에서 수많은 약속을 하며 살고 있습니다. 오늘 배송하겠다는 고객과의 약속, 친구와의 약속, 거래처와의 약속 그리고 나와의 약속. 타인과의 약속을 깨면 신용을 잃습니다. 그러면 사업을 해 나가기 어렵게 되며 인간성에도 큰 타격을 입습니다. 사회적으로 건강하고 당당하게 살아온 나 자신과의 약속을 깨지 마세요.

깨진 꽃병을 다시 붙여도 금이 남는다

신뢰는 인간이 살아가는 데 가장 중요한 요소 중 하나이며, 본인 스스로와 사업 활동의 기반입니다.

① 일관성과 신뢰

일관성은 신뢰의 핵심 요소입니다. 약속을 지키고 일관된 행동을 보이는 것은 신뢰를 구축하고 유지하는 기본입니다. 한 입으로 두말하면 안 됩니다.

② 솔직함과 투명성

솔직함과 투명성은 신뢰를 구축하기 위해 중요한 요소입니다. 솔직하고 투명한 의사소통은 상호 간의 신뢰를 증진시키는 데 도움을 줍니다. 솔직하고 투명해진다 하여 반드시 나의 모든 패를 다 보여 주어야 하는 것은 아닙니다. 하지만 패를 보여 주지 않을지언정, 상대를 해하려 하거나, 속이거나, 거짓말을 하는 것은 신뢰를 무너뜨리는 가장 빠른 방법이 됩니다. 정직함이 정도를 걷는 가장 쉬운 방법이며 신뢰를 쌓는 가장 좋은 방법입니다.

③ 협력 관계인과의 신뢰 구축

1인 기업들은 협력자와의 관계에도 주의를 기울여야 합니다. 신뢰를 구축하고 유지하는 것은 협력자와의 원활한 협업을 가능하게 하고 사업 성과를 향상시키는 데 도움이 됩니다.

④ 문제 해결과 신뢰 회복

문제가 발생했을 때 신속하게 대처하고 신뢰를 회복하는 것은 신뢰 유지를 위해 중요한 요소입니다. 문제 해결과 신뢰 회복에 주의를 기울이는 것은 사업 성과와 고객의 만족도를 유지하는 데 필수적입니다.

⑤ 긍정적인 평가와 추천

고객과 협력자로부터의 긍정적인 평가와 추천을 받는다면, 신뢰를 구축할 수 있게 되며, 이는 사업 성과를 향상시키는 데에도 효율적입니다. 고객과 협력자의 만족도를 높이고 신뢰를 얻기 위해 노력해야 합니다.

정부

기관

STEP

5

최대한 활용하자

1

대한무역투자진흥공사
KOTRA

코트라 홈페이지 메인 화면입니다. 회원 가입을 하시고 로그인하시면 세계 각국의 정보와 자사 제품군에 대한 정보를 최신 버전으로 확인할 수 있습니다.

코트라 홈페이지 메인화면

추가로 이곳에서 해외 정보 뉴스를 신속하게 확인할 수 있습니다. 현지 근무 중인 무역관에서 올려주는 정보를 빠르게 확인하여 진출 희망 국가에 대한 정보를 최신 버전으로 확인할 수 있습니다. 잘못된 정보나 타인의 책임감 없는 의견에 현혹되어 잘못된 결정을 내리면 타격이 큽니다. 특히 해외 투자나 사업의 경우, 매우 큰 부담이 되어 사업에 지장을 초래합니다.

코트라 해외정보

코트라 수출, 투자 문의를 통하여 수출 관련 사항과 진출을 희망하는 국가에 대한 정보를 얻을 수 있습니다. 상담 신청에 보면 저는 2번 상담을 진행했었습니다.

코트라 수출, 투자 문의

코트라 사이트에 접속하면 코트라가 어떠한 기관이고 어떻게 코트라 사

1인 기업, 1천만 원으로 충분하다

업에 참여할 수 있는지 매뉴얼이 있습니다. 매뉴얼을 다운 받아 읽어 보면
이해하기 좋습니다.

코트라 서비스 가이드북

사업 신청하기를 클릭하면 신청 기한이 있는 사업을 순서대로 확인할 수
있습니다. 지원 일정이 촉박한 사업을 먼저 신청하고 지원 기한이 여유가
있는 사업을 골라 미리 확인해 두면 빠뜨리지 않고 지원 사업을 신청할 수
있습니다.

코트라 온라인 사업 신청

코트라 온라인 사업 신청하기 예시

2023 하반기 붐업 코리아 수출 상담회 – 프리미엄 소비재 미니 쇼케이스 신청을 해보겠습니다.

로그인하고 사업 신청을 클릭하여 자사 제품이나 서비스를 지원할 수 있는 사업을 확인합니다.

지원 가능 사업을 확인하였다면 서류를 준비하여 지원하기를 누르고, 사이트에서 요청하는 사항을 확인 후 자료를 첨부하여 지원합니다. 위셀호프는 2023 하반기 붐업 코리아 수출 상담회에 선정되어 미국, 일본 회사와 일산 킨텍스에서 미팅을 진행했습니다. 수출 상담회는 미팅을 희망하는 국가와 회사를 선택할 수 있습니다. 상담 희망을 설정하면 바이어가 수락을 하거나 거부를 하게 됩니다. 거부를 한다면 상담의 기회는 없습니다.

실제로 상담장에 참석해 보면 상담이 결렬되어 쉬고 있는 바이어가 있습

1인 기업, 1천만 원으로 충분하다

니다. 이럴 때 양해를 구하고 미팅을 진행할 수 있습니다. '만에 하나'의 자세로 포기하지 말고 자신의 브랜드와 제품을 해외 바이어에게 홍보하고 설명해야 합니다. 해외 바이어가 원하는 제품과 품목을 알게 되어 브랜드 차원에서 공급이 가능하도록 개발이나 제품 리뉴얼이 가능하다면 적극적으로 어필하여 바이어와의 연결선을 놓치면 안 됩니다.

코트라 온라인 사업 신청하기 예시 붐업 코리아

코트라 온라인 사업 신청하기 붐업 코리아 2

바이어 화상회의

코트라의 서비스 중 해외 바이어 매칭 프로그램이 있습니다. 자사의 제품을 해외 수출을 희망할 때에 신청하여 해외 바이어를 만날 수 있습니다. 해외 바이어는 해외지사화 사업과 코트라 각국의 무역관에서 진행하는 해외 사업의 일환으로 접하게 되는 경우가 있습니다. 해외 바이어를 많이 만나 제품을 홍보하고 샘플을 보내면서 회사와 브랜드를 알려야 합니다.

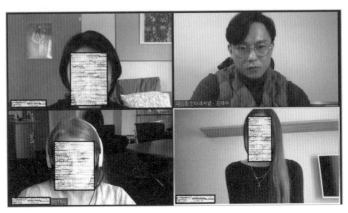

코트라 온라인 화상회의

1인 기업, 1천만 원으로 충분하다

코트라 해외 시장 뉴스

KOTRA 해외 시장 뉴스 https://dream.kotra.or.kr/index.jsp

코트라 해외 시장 조사

코트라 해외 시장 조사 2

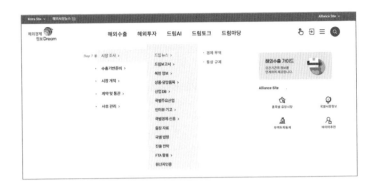

코트라 해외 시장 조사 3

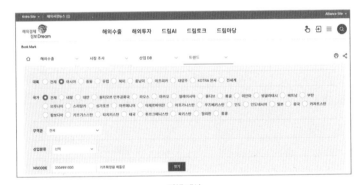

검색 예시

코트라 해외 시장 뉴스에 접속하면 해외 시장의 최신 정보를 확인할 수 있습니다.

해외 수출 → 시장 조사 → 산업 Date Base → 트렌드를 클릭하고 대륙, 국가, 산업, 무역관, HS code 검색을 통하여 해당 정보를 빠르게 얻을 수 있습니다. HS code는 품목을 분류해 놓은 표입니다. 자사 제품의 HS code 를 파악해야 합니다. 기초화장품은 3304.99-1000입니다. 샴푸와 손 소독

1인 기업, 1천만 원으로 충분하다

제는 다른 HS code를 가지게 됩니다. 품목에 따라 다르므로 수출, 수입을 희망 계획하고 있다면 반드시 알고 있어야 합니다.

코트라 무역 투자 빅데이터 서비스

KOTRA 무역 투자 빅데이터 서비스 https://kotra.or.kr/bigdata

이곳에 접속하면 트라이빅이라는 프로그램을 사용할 수 있습니다. 트라이빅 프로그램에 자사의 제품과 서비스를 등록하면 잠재 바이어를 검색할 수 있습니다. 무역 투자 통계, 국가별 시장 정보, 품목별 유망 시장, 기업별 맞춤 정보, 해외 바이어 정보를 자사 제품에 맞게 확인할 수 있습니다.

트라이빅 메인

품목별 해외 바이어와 기업별 해외 바이어를 확인할 수 있습니다.

트라이빅 검색 예시

기업별 맞춤 정보에서 자사 제품과 서비스에 맞는 유망 시장을 확인할 수 있습니다.

HS code 3304991000은 기초화장품입니다. 기초화장품을 넣고 검색하면 아래와 같은 정보가 나옵니다. 미국과 중국, 홍콩을 시작으로 예측 점수가 상위임을 확인할 수 있습니다.

트라이빅 검색 예시 2

1인 기업, 1천만 원으로 충분하다

맞춤형 시장 추천은 조금 더 세밀하게 정보를 분석해 줍니다. 자사 제품은 미국보다 홍콩의 점수가 더 높게 나오는 것을 확인할 수 있습니다. 실제로 홍콩 3개 기업에 수출하고 있습니다.

트라이빅 검색 예시 3

바잉 오퍼(Buying Offer)[vi]를 찾는 일은 꾸준히 해야 합니다. 어느 국가의 어떤 기업이 무엇을 찾고 있는지, 우리 해당 기업에 자사 제품을 소개할 수 있는지 확인해 보아야 합니다. 바잉 오퍼는 기간이 한정되어 있는 경우가 있습니다. HS code를 확인하여 330499 기초화장품을 찾고 있는 업체를 클릭합니다.

오퍼명, 기업명, 카테고리, 주문량, 국가, 유효 기간을 확인하여 지원합니다.

[vi] 수입상이 물품의 명세나 가격 조건 따위를 주요 내용으로 하여 물품의 구매 의사를 확실하게 밝힌 물품 구매에 관한 서류

트라이빅 검색 예시 4

330499 기초화장품 한국 수출 무역 현황을 한눈에 볼 수 있습니다. 중국, 미국, 일본이 TOP3 국가이고 홍콩이 4위입니다. 홍콩에서 제품이 알려지면 중국으로 진출하기 쉽기에 징검다리 역할을 하는 국가입니다. 중국의 화장품 허가가 어렵게 개정되어 홍콩을 경유하는 경우가 많습니다.

트라이빅 검색 예시 5

330499의 수출 통계를 확인하면 중국이 압도적으로 한국산 화장품을 많

1인 기업, 1천만 원으로 충분하다

이 수입합니다.

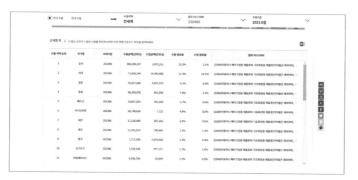

트라이빅 검색 예시6

바이 코리아

KOTRA 바이 코리아 https://origin.buykorea.org(for Buyer) kotra

바이 코리아 바이어(외국 바이어)가 보는 사이트에 접속하면 아래와 같이
제품을 확인할 수 있습니다. 자사 제품이 아래 메인 화면에 보입니다. 해외
바이어는 마음에 드는 제품을 클릭하여 스펙과 가격 및 최소주문량(MOQ -
Minimum Order Quantity)를 확인하고 메일을 보냅니다.

바이 코리아 바이어 메인

아래의 사이트는 바이코리아 셀러(한국 기업)의 메인 화면입니다.

바이 코리아에 접속하여 제품을 등록합니다. 제품 등록 시 사진과 상세 설명이 필요합니다. 상세 설명은 해외 바이어가 제품을 보는 것이므로 영어로 표기해야 합니다.

KOTRA 바이 코리아 https://buykorea.or.kr(for Seller)

바이 코리아 메인 셀러 화면

바이 코리아를 통하여 HS code, 품목별로 해외 바잉 오퍼를 확인할 수 있습니다. 탄자니아에서 선스크린(선크림)를 찾는 바잉 오퍼입니다. 자사 선크림이 있으므로 클릭하여 메시지를 탄자니아 무역관에 전송합니다. 탄자니아 무역관은 국내 기업들의 메시지를 확인하고 바이어에게 정보를 전달합니다. 바이어가 셀러들의 제품을 체크하고 화상 회의를 하는 순서로 일이 진행됩니다.

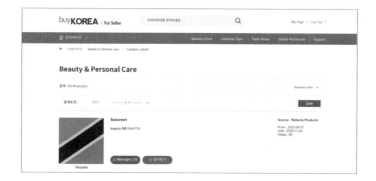

바이 코리아 구매 오퍼 찾기

Korea Biz – Trade Show 2023 Boom up 사업에 신청한 제품들을 확인할 수 있습니다. 가격의 고저를 통하여 순서를 정렬하여 제품을 확인할 수 있는 편리한 시스템입니다.

바이 코리아 붐업

2

중소벤처기업진흥공단
Gobiz Korea

중소기업진흥공단 고비즈 코리아

해외 바이어 구매 오퍼 https://kr.gobizkorea.com

고비즈 코리아는 중소기업진흥공단이 운영하는 사이트입니다. 중소기업
진흥공단에서 시행하는 사업을 확인하고 우리 사업과 연관이 있거나 지원
가능한 사업이 있으면 회원 가입 후 지원할 수 있습니다.

고비즈 코리아 메인

금일 기준으로 접수 중인 사업들이 있습니다. 접수 가능과 마감을 확인
하여 접수하면 고비즈 코리아에서 확인 후 결정하여 지원 여부를 판단하여
통보해 줍니다.

1인 기업, 1천만 원으로 충분하다

비즈 코리아 메인 2

해외 구매 오퍼 정보를 빠르게 확인할 수 있습니다. 오더 내용, 국가, 바이어 사업, 바이어 희망 사항을 확인할 수 있으며 자사 제품이 해당된다면 거래 제안을 요청할 수 있습니다.

애로 해소 센터를 활용하여 모르는 부분이나 문제가 생겼을 때 상담을 할 수 있습니다.

고비즈 코리아 메인 3

고비즈 코리아 서비스는 물류 할인 서비스, 도메인 할인 서비스, 바이어 거래 제안 서비스가 있습니다. 샘플 발송이 많은 기업의 경우, 물류 할인 서비스를 신청하여 할인된 가격으로 해외 제품 배송을 할 수 있습니다.

홈페이지를 제작할 때 도메인이 필요합니다. 도메인 할인 서비스를 신청하여 도메인을 설정하고 홈페이지를 제작하면 초기 자본 절약에 도움이 됩니다.

고비즈 코리아 메인 4

고비즈 메일을 사용할 수 있습니다. 메일 주소를 희망하는 방법으로 만들 수 있습니다.

1인 기업, 1천만 원으로 충분하다

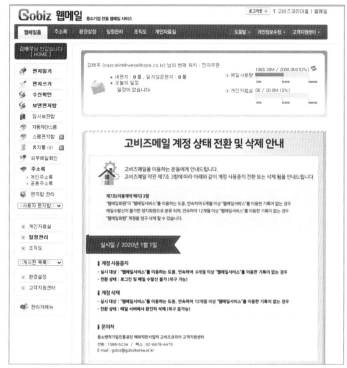

고비즈 기업 메일

3

중소벤처기업부
중소기업 유통 센터 판판대로

https://fanfandaero.kr/portal/main.do

중소벤처기업부에서 운영하는 '판판대로'를 통하여 국내 유통망 확장 및 유용한 정보와 사업을 신청할 수 있습니다. 판판대로를 통하여 인천공항 판판 면세점, 행복한 백화점에 심사를 통하여 입점할 수 있습니다. 또한 라이브 커머스를 배울 수 있는 시스템이 있고 방송을 하는 방법을 상세하게 교육받을 수 있습니다. 국내 시장을 타겟으로 제품을 알리고 브랜드를 홍보하려면 판판대로는 반드시 가입하고 사업에 참여해야 합니다.

자사 브랜드는 판판대로에서 모집하는 백화점(판교 현대백화점, 목동 현대백화점, 중동 롯데백화점, 서울역 롯데 아울렛) 등에서 팝업 스토어를 수차례 진행했습니다. 브랜드가 백화점에서 우수 중소기업관에서 행사를 진행하면 소비자들에게 좋은 인상을 남길 수 있고, 제품을 홍보하는 중요한 기회로 활용할 수 있습니다.

판판대로 메인

판판대로 메인 2

현재 모집 중인 사업을 확인하고 지원하면 됩니다. 자사 제품과 브랜드에 필요한 내용을 확인 후 서류를 작성하고 필수 서류를 구비합니다. 필수 서류로는 공통사항으로 사업자 등록증, 중소기업확인증, 국세 완납 증명서, 지방세 완납 증명서가 있고 사업 내용에 따라 추가로 요청되는 서류가 있습니다. 정부나 국가 기관에서 진행되는 사업은 국세와 지방세 완납 서류가 요청되는 경우가 많습니다. 세금 납부를 연체 없이 제때 하여 필요한 사업이 나왔을 때 세금 미납으로 인하여 사업 신청을 놓치는 실수를 범하면 안 됩니다.

판판대로 사업 신청

아래의 내용은 기간이 지나서 지원이 불가능하거나 이미 지원한 내용을 확인할 수 있습니다.

1인 기업, 1천만 원으로 충분하다

판판대로 사업 신청 2

4

서울경제진흥원
SBA

https://www.sba.seoul.kr/

서울경제진흥원에 회원 가입을 합니다. 서울시에서 진행하는 각종 사업에 참여할 수 있습니다. 자사 제품 및 브랜드 홍보에 도움이 되는 사업들이 많습니다.

서울경제진흥원 메인

현재 지원 가능한 사업들이 아래에 보입니다. 자사 제품에 적합한 사업을 신청합니다. 신청 후 서울경제진흥원이 선정 여부를 메일로 알려 줍니다.

1인 기업, 1천만 원으로 충분하다

서울경제진흥원 메인 2

서울경제진흥원 메인 3

접수 중인 사업을 확인하면 서울시에서 진행하는 국내, 해외 진출 사업에 내실을 다질 수 있는 상세페이지 제작 지원 사업이나 제품 영상 촬영 사업들이 나옵니다. 해당 사업들에 지원하여 채택된다면, 관련 홈페이지와 영상을 확보할 수 있는 기회를 얻게 됩니다. 만약 상세페이지 제작이나 영상 촬영을 지원 사업 없이 자체 진행하면 상당한 비용을 지출해야 합니다.

서울경제진흥원 사업 신청

위셀호프가 지원했던 사업들입니다. 지원하여 선정되면 사업에 참여할 수 있습니다. 지원한다고 모두 선정되어 참여할 수 있는 것은 아닙니다. 미선정 되었다고 해서 좌절할 필요는 없습니다. 서류 및 지원 요건을 확인하고 다음에 사업 진행할 때 재도전하면 됩니다.

1인 기업, 1천만 원으로 충분하다

서울경제진흥원 사업 신청 결과 조회

위셀호프는 2022, 2023 서울 뷰티 위크와 서울 뷰티 트레이드쇼에 참여하여 바이어와 일반 관람객, 화장품 업계 관계자를 많이 만났습니다. 뷰티 트레이드쇼에서 4일간 8개의 해외 업체를 만났습니다. 그중 미얀마 업체에 제품을 소량 수출할 수 있었습니다. 제가 거래한 미얀마 업체는 제품을 구매하여 미얀마 내부에서 라이브 커머스와 한국 화장품 전문 매장을 운영하는 업체였습니다. 제품의 공급률을 여유 있게 한다면 미얀마에서 제품의 유통에 도움이 될 수 있다고 말씀하시기에, 공급률 조정과 공급 규모를 논의하였고 다행히 성공적으로 수출할 수 있었습니다.

서울경제진흥원 뷰티 위크　　　　　　　서울경제진흥원 트레이드쇼

뷰티 위크에서는 다양한 프로그램을 진행합니다. 먼저 소비자에게 뷰티 박스를 증정하는 프로그램이 있습니다. 뷰티 박스에는 참여 기업의 제품이 담겨 있습니다. 뷰티 박스를 받기 위해 아침 일찍부터 긴 줄을 선 채, 기다리는 시민들을 매일 아침 목격할 수 있었습니다.

1인 기업, 1천만 원으로 충분하다

5

한국무역협회
KITA

한국무역협회 https://tradenavi.or.kr 해외 바이어 구매 오퍼

한국무역협회 웹사이트 https://www.kita.net

한국무역협회는 무역과 관련된 모든 사항을 확인해 볼 수 있는 기관입니다. 홈페이지에 접속하여 회원 가입을 합니다. 회원 가입 후에는 기업 메일을 사용할 수 있습니다. 무역 협회의 메일은 해외 발신자의 국적이 표기됩니다. 덕분에 이를 사용하면 해외 IP를 차단할 수 있게 되며, 외국에서는 접속이 불가능해지기에 보완에 아주 좋습니다. 용량도 넉넉하여 오래전부터 사용하는 메일입니다.

이렇게 하는 이유는 무역은 사기를 매우 조심해야 하기 때문입니다. 한 번 사기를 당하면 되돌릴 수 없는 경우가 많습니다. 무역을 하다 보면 수많은 경고가 뜹니다. 경고는 외부에서의 해킹 위협에 대한 경고이므로 보완에 신경을 써야 하고 안전한 메일을 사용해야 합니다.

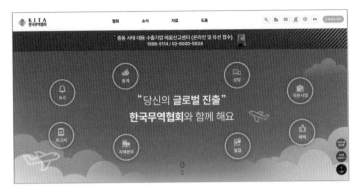

한국무역협회 메인

한국무역협회 최신 소식을 빠르게 확인할 수 있습니다. 물류 비용의 합리화 및 디지털 전환을 위한 컨설팅 참여 업체를 모집하고 있습니다. 진행되는 사업을 확인하여 브랜드와 연관성이 있으면 지원하기를 클릭합니다.

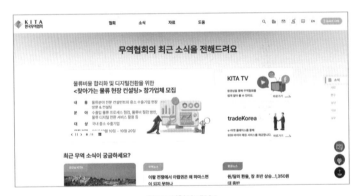

한국무역협회 메인 2

최근 무역 소식은 세계의 뉴스와 환율 정보를 빠르고 정확하게 알려줍니

1인 기업, 1천만 원으로 충분하다

다. 브랜드 제품이 진출하려고 계획 중인 사항을 해당 국가의 상황에 맞게 일정을 조율하는 데 도움이 됩니다.

한국무역협회 메인 3

현재 진행 중인 지원 사업을 한눈에 확인할 수 있습니다. 마감 기한이 있는 사업들로 기한에 맞춰서 지원하는 것이 중요합니다. 또한 지원한다고 해서 모두 선정되는 것은 아닙니다.

한국무역협회 메인 4

무역 보고서를 통하여 투자 및 경기 전망을 예측할 수 있습니다. 예측된 정보를 토대로 해외 진출을 신중하게 접근할 수 있습니다.

한국무역협회 메인 5

1:1 상담을 통하여 수차례 도움을 받은 경험이 있습니다. 제품 수출 및 수입 관련 내용과 통관, 물류 관련 내용을 질문하면 전문가와 상담이 가능합니다. 전문가의 조언을 얻어 사업에 신중을 기할 수 있고, 이를 통해 여러 위험을 피할 수도 있습니다.

해외의 신규 업체 중 하나라고 자신을 소개한 후, 특정한 사이트로 클릭을 유도하거나 PDF 파일로 오더 시트를 보내어 클릭을 유도하는 등, 여러 가지 사기의 방식이 있습니다. 이럴 경우 클릭을 하지 말고 전문가에게 물어보는 것이 중요합니다. 클릭하는 순간 컴퓨터의 모든 정보를 해커가 빼내어 큰 손실을 볼 수 있으므로 링크는 클릭을 안 하는 것이 중요합니다.

1인 기업, 1천만 원으로 충분하다

한국무역협회 메인 6

무역 관련 증명서는 수출 실적 증명서를 비롯하여 여러 증명서를 발급받을 수 있습니다. 수출 실적 증명서는 년도 별로 받을 수 있고 월별로 금액이 표기되어 있습니다. 수출 실적 증명이 필요한 사업들에 필수 서류로 사용됩니다. 수출 바우처 사업이나 기타 수출 사업을 진행하다 보면 수출 실적 증명이 많이 사용됩니다. 수출 증명을 발급받는 가장 쉬운 방법은 무역협회에서 발급받는 방법입니다.

한국무역협회 수출 실적 발급

서식을 다운 받을 수 있는 곳입니다. 계약서, 견적서, 수출 서류를 다운 받아 사용할 수 있습니다. 계약서가 엄청 중요하기에 검증된 기본 양식을 받아 브랜드에 맞게 수정하여 사용하면 편리합니다.

한국무역협회 서식 다운

트레이드 네비를 통하여 여러 무역 정보를 획득할 수 있습니다. 또한 무역 협회가 운영하는 연관된 사이트에 접속하여 원하는 정보를 획득할 수 있습니다.

한국무역협회 서비스 내용

1인 기업, 1천만 원으로 충분하다

해외 시장 정보와 해외 바이어 구매 오퍼 정보를 꼼꼼히 확인하여 자사 제품군을 찾고 있는 바이어를 먼저 찾을 수 있습니다. 이를 통해 여러 바이어들에게 제품 관련 정보를 메일로 보낼 수 있습니다. 즉, 구매자가 될 가능성을 지닌 바이어를 찾는 데 도움이 많이 됩니다.

한국무역협회 트레이드 네비

트레이드 네비에서 확인할 수 있는 많은 정보들입니다. 무역규제 해외 마케팅을 중점적으로 확인하고 해외 기업 정보는 거래를 하기 전에 미리미리 확인하여 무역 사기를 방지합니다.

한국무역협회 트레이드 네비 2

현재 바이어가 찾고 있는 제품 정보입니다. 자사 브랜드 제품군과 같은 오퍼가 있다면 확인하고 연락해 거래 제안서를 발송하는 것이 무역의 시작입니다.

1인 기업, 1천만 원으로 충분하다

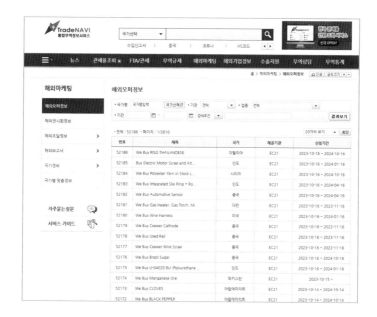

한국무역협회 트레이드 네비 3

aT 수출
종합 지원 시스템

aT 수출 종합 지원 시스템 https://global.at.or.kr

　농산물이나 관련 제품을 취급한다면 aT 수출 종합 지원 시스템을 적극 활용해야 합니다. 농산물 수출에 관한 정보를 빠르고 정확하게 얻을 수 있습니다. 세계 각국의 바이어 오퍼 내용을 확인한 후, 만약 해외 바이어들이 취급 중인 상품이 자신이 준비한 상품에 해당된다면, 사업에 지원하여 수출길을 열어 보는 것이 좋습니다.

　내수 시장과 수출 모두를 병행한다면 안정적인 사업 운영에 큰 도움이 됩니다. 수출은 최소 주문량이 있는 경우가 대부분입니다. 따라서 낮은 가격에 질 좋은 제품을 대량 판매할 수 있는 기회가 열리게 됩니다. 최근 호주에서 우리나라 배즙을 숙취 해소에 좋은 제품으로 마케팅하여 높은 수출 성장률을 보이고 있습니다. 농산물과 농산물 가공품을 수출하여 판매한다면, 국내 농가 소득을 올릴 수 있고, 회사 또한 대량으로 제품을 판매해 많은 이익을 얻을 수 있습니다.

aT 메인

aT 메인 2

7

해외 인증
정보 시스템

https://www.certinfo.or.kr

해외 인증 정보 시스템을 통하여 수출을 계획 중인 국가에 대한 인증 내용을 확인할 수 있습니다. 이를 통해 미리 인증을 받아 준비한다면 수출 계약에 큰 도움이 됩니다. 바이어와 미팅을 진행할 때 해당 국가에 대한 인증이 준비되어 있다면 바이어는 안심하고 수입을 결정하게 됩니다. 미국의 FDA, 유럽의 CPNP가 대표적인 화장품 해외 인증입니다. 모든 국가는 자국에 맞는 인증 시스템이 있습니다.

해외 인증 정보 시스템 메인

8

중소기업부
각종 지원 사업

중기청 수출지원센터 https://www.smes.go.kr/exportcenter

중소벤처기업부에서 운영하는 사이트입니다. 중소기업의 해외 시장 진출에 도움이 되는 내용이 많습니다. 주요 사업과 수출 관련 서비스를 제공하며 필요할 때 상담을 받을 수 있습니다. 상담 창구를 적극 활용하면 불필요한 시간 낭비와 사기를 예방할 수 있습니다. 모르는 업체의 오퍼를 받았다면 해당 업체를 조사해야 합니다. 저도 한 달에 한두 번은 모르는 업체에서 메일을 받습니다.

그중 상당수의 메일이 특정 사이트로의 클릭을 유도하거나, 파일을 열어보라고 오는 메일입니다. 메일의 내용은 자사 제품을 오더하고 싶고, 유통하고 싶다는 내용이지만 절대로 파일을 다운 받거나 클릭하면 안 됩니다. 이런 메일을 받을 경우에는 메일 회신 내용에 수입 희망 제품명과 수량을 명시하면 해당 제품에 대한 견적서를 만들어서 발송한다고 회신하면 됩니다. 대부분의 사기성 메일은 이러한 회신에서 대답을 하지 않습니다.

중소기업부 메인

기업마당 https://www.bizinfo.go.kr

기업마당에 회원 가입을 합니다. 기업마당에서는 각종 지원 사업을 확인할 수 있습니다. 금융, 기술, 수출 등 세부 내용을 지정하여 검색할 수 있습니다. 희망하는 지원 사업이 있다면 지원 시기를 확인하여 늦지 않게 지원합니다. 사업을 하다 보면 자금에 문제가 생기는 경우가 많습니다. 물론 사업을 아주 철저히 잘하여 흑자로만 사업체를 운영한다면 좋겠지만 대부분의 사업체는 대출을 진행합니다. 저 또한 생산 자금이 필요하여 대출을 이용하고 있습니다. 대출을 시중 은행에서 하게 되면 금리가 높으므로 정부기관의 보증을 획득하여 대출을 받아야 합니다. 신용보증기관, 기술보증기관이 있습니다. 지역 별로(강동, 강서, 강남 등) 사업소가 나뉘어 있으므로 행정구역상 자신의 사무실 위치에 맞는 보증 기관에 연락하여 대출을 문의하

1인 기업, 1천만 원으로 충분하다

여 진행하세요. 시중 은행의 경우 대출이 어렵기도 하고 금리는 높아 빨리 상환하지 못할 시 나중에 매우 곤란한 상황이 발생하게 됩니다.

기업마당 메인

기업마당 메인 2

9

HS Code
검색 시스템

https://unipass.customs.go.kr/clip/index.do

수출입에 가장 중요한 필수 확인 사항이 HS Code를 정확하게 확인하는 일입니다. HS Code별로 관세가 책정되며 FTA 등의 자유 무역 거래에 혜택이 있기 때문입니다. 또 원산지인증 수출자 제도라는 것이 있습니다. 특정 품목의 HS Code에 대하여 인증 수출자를 획득하는 제도인데, 이를 하게 되면 수출할 때에 서류를 준비하는 불편함을 줄일 수 있습니다.

HS Code의 예시) 기초화장품 3304.99.1000, 폼클렌징 3401.30.0000, 마스크팩 3307.90.4000으로 제품 품목마다 상이하며 같은 특성의 제품은 같은 HS Code를 공유합니다.

HS Code 검색 메인

스스로를
믿어라

믿으시나요? 누구를 믿으시나요? 누구의 말을 믿으시나요? 오늘도 운세를 보셨나요? 타로와 점을 자주 보시나요? 타인 혹은 다른 존재에게 의지하시나요?

내 삶과 내 사업은 스스로 개척해 나가야 합니다. 의견을 듣는 것은 좋으나 타인의 의견은 내 사업에의 흥망에 대한 책임이 없습니다. 흥하면 "내말대로 하니까 잘됐지?"라는 대답을 들을 것이고 망하면 "내가 언제? 네선택이지."라고 할 것입니다. 즉 결정은 스스로 하는 것입니다. 결정에 따른 책임도 모두 본인 스스로에게 있습니다.

의심이 있는 곳에 확신이 설 자리는 없습니다.

스스로를 믿고 작은 일부터 하나하나 챙기고 이루어 나아가다 보면 목표했던 곳에 다다를 수 있습니다. 주저하지 마시고 도전하세요. 마음을 먹었다면 3일 이내에 실행하는 실행력을 보여 주세요. 한번 실행하기로 한 일은 3개월 이상 유혹을 이겨내고 지속해 보세요. 3개월 후 달라진 자신을 만나게 될 것입니다.

건승을 빕니다.